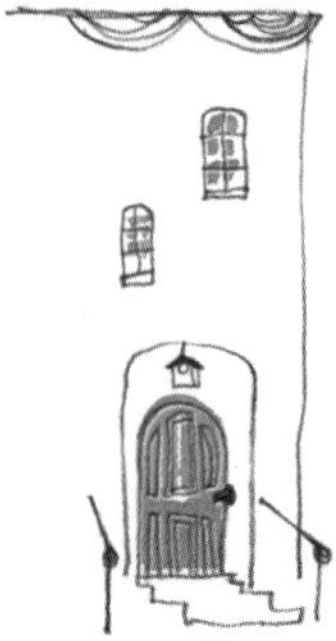

外遇

亦舒

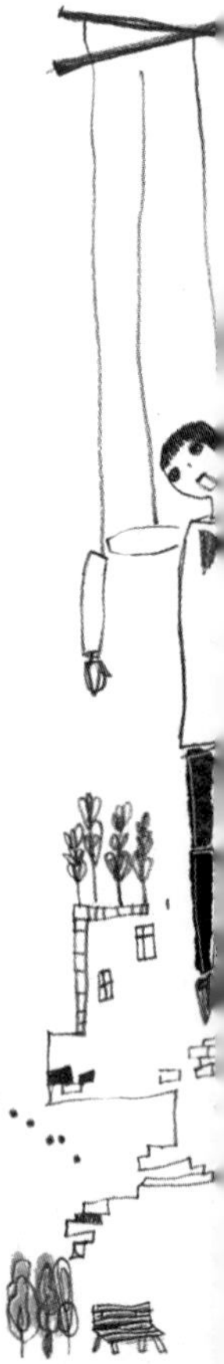

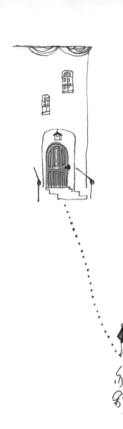

書名	外遇	作者	亦舒

出版　天地圖書有限公司
香港皇后大道東109-115號
智群商業中心十三字樓
電話：25283671　傳真：28652609

香港灣仔莊士敦道三十號地庫／一樓（門市部）
電話：28650708　傳真：28611541
九龍旺角通菜街103號地下（門市部）
電話：2367 8699　傳真：2367 1812

設計及插圖　Untitle Workshop

印刷　亨泰印刷有限公司
柴灣利眾街德景工業大廈十字樓
電話：2896 3687　傳真：2558 1902

發行　香港聯合書刊物流有限公司
香港新界大埔汀麗路36號
中華商務印刷大廈3字樓
電話：2150 2100　傳真：2407 3062

出版日期　二〇一一年四月／初版・香港

周宗亮盡量不讓這個忙字把他趕得窘逼。

任何時候，證券行都像繁忙時間的地鐵站，周坐在一間小小透明房間裏，他總把桌面收拾得十分乾淨：一疊紙，一管地球牌鋼筆。他桌上有三副電腦，不住打出全球股票牌價，多年凝視閃動熒幕，他的視力仍然上佳，不可思議。

每天，他穿同款深色Z牌西服上班，一定要寬身，否則怎麼坐下工作，故此一定買大一碼，配深色領帶，與白襯衫。他戴兩枚首飾：一隻極薄的白金黑皮帶手錶，與一枚最簡單的結婚指環。

周宗亮結婚已經十六年，兒子十五歲，叫周鈕，小名紐子，在私立學校讀高中，英式足球隊長，相貌異常英俊，時時有女同學圍住。

周宗亮好像擁有一切，他因此更加小心翼翼處事做人，這一切得來不易。

一般出身的他一表人才，斯文有禮，靠獎學金畢業之後到證券行工作，獲得老闆紀氏賞識，回家對妻女說：「公司來了一個完美無瑕的年輕人」，紀太太笑，「帶回來看看。」

他因此認識了老闆家二小姐紀美洲。

一般年輕男子假使與老闆女走在一起，旁人一定揶揄諷刺：黃馬褂啦，駙馬爺呢，高攀靠女人得飯票哩……可是周宗亮不一樣，他們都喜歡他，嘖嘖讚美：「周的才能配紀二小姐的家勢，一對璧人。」

美洲是二小姐，紀家還有一個大小姐，叫紀亞洲，亞洲比美洲早兩年結婚，盛大婚禮，宴請五百多客人，宗亮目睹，嚇得不得了。

他要求簡單婚禮，紀先生不允。

姐夫王青雲在一旁咧着嘴笑……

宛如昨日，一恍眼十多年過去。

周宗亮今年四十二歲，正式步入中年。

他每天準時上下班，如證券行的磐石。

該年五月，杜瓊斯指數因人為錯誤出盤時把M字入錯B字，一小時內，跌一千點。

所有沒下班的同事站起，走到大堂中央，像沒頭的雞般竄動，周宗亮筆挺站在大熒幕前，臉色沉着，像什麼事都沒發生過。

大家漸漸靜下來。

不到一小時，點數又忽然上升。

紀先生的電話到。

「可有照我意思做？」

周答：「在下跌五百時買入，上升到原位拋出。」

「勞駕。」

「不客氣紀爸。」

女同事仰慕地說：「從頭到尾，周末曾流過一滴汗，我們幾乎心臟病發。」

「不用想了，他兒子都已十多歲，他對家庭忠心不貳。」

「好男人都是別人丈夫。」

「我不知你怎麼想，我不惹已婚男子。」

「周最吸引是什麼地方？」

「我不知道，我不去猜想。」

周仍在辦公室低頭看文件，他是左撇子，書寫由左至右，說不出彆扭，可是在女同事眼中，簡直可愛。

午餐時分，他有訪客。

秘書進來說：「紀太太找你。」

周連忙擱下筆站起。

這時紀太太走近，「坐，宗亮，坐。」

他親自吩咐秘書斟茶。

「紀媽，有事叫我回家不就行了。」

紀太太不出聲，氣色異常。

「紀媽。」他蹲到丈母面前。

「你坐，宗亮。」

紀媽喝一口茶，「宗亮，你同青雲一直談得來。」

周怔住，十多年親戚，他本着少說少錯的原則與這個姐夫往來，只能說無功無失。

「宗亮，青雲要與亞洲離婚。」

周宗亮愣住，這個消息，比道指暴跌一千點還叫他震驚。

他倆是模範夫妻，人前人後，像糖人兒黏在一起，每過十分鐘，像洋人那樣，嚮亮親一下，摟肩搭腰，熱情不息。

又每逢生日，結婚紀念日，新年、聖誕，必定舉行派對招呼親友，香檳砵砵聲開，特喜糾眾坐郵輪到太平洋各珊瑚島旅遊，曬得似龍蝦般回來……

離婚？

周不出聲。

他張開嘴，又合攏，這樣志同道合的夫婦離婚？

「宗亮，亞洲不知我來，我想你與青雲一談。」

「紀媽你是想——」

「勸他們不要分手。」

周宗亮心想，這樣大事，他怎勸得動。

「我今晚找他。」

「宗亮，青雲在倫敦，他已與亞洲協議分居，衣服雜物都已搬出。」

「什麼？」他倆雜物包括兩狗三車無數名畫名瓷。

「像迅雷一般。」紀太太嘆氣。

「你可與亞洲談過？」

「亞洲似老十年，一言不發。」

「為何事分手？」

「青雲有外遇。」

一句接一句，周宗亮更加駭異，這王青雲是個快樂蛋，老實說，大家時時懷疑他少長一瓣腦子，他不大深思，每早起床是個新人，換上最時髦西服，駕着平

治上班，常常忠告周宗亮：「阿宗，男式禮服打褶腰帶 cummerbund 穿時那排褶朝上，宗亮，禮服襯衫要另配紐扣。」紀太太稱讚兩人宴會穿戴整齊看上去猶如 GQ 雜誌男模。

青雲淨掛住那些，像個長不大男孩。

外遇。

即已婚男子在街外遇着另一名女子有不尋常關係曖昧糾纏。

「不。」

「這事千真萬確，我與美洲談過，她愣半晌，才說不願管姐姐家事，離合必有因，旁人不宜多嘴云云，你們受西方教育，最不理閒事，動輒尊重別人意願，這不是見死不救嗎。」

青雲是個體育迷，一有超級碗、史丹利杯、NBA、NHL、奧運競賽，茶飯不思對牢五十二吋大熒幕呆視、歡呼、發惡、沮喪，那是他的七情六慾總數。

「他在倫敦是這個地址。」

「攝政街，我去過，他樓下住一位著名女男爵。」

「那是他父親給他的物業，他現在與女友住該處，宗亮，我替你辦了來回飛機票，請你無論如何抽撥三十小時幫我走這一趟。」

「紀媽，你無論着我去何處我無異議。」

「宗亮？」

「可是，你猜這管用嗎？」

紀太太流淚，「我是一個母親，想到什麼為亞洲做什麼，有效與否，已經無干，盡了力，死得瞑目。」

周宗亮難過之極，「紀媽。」他緊緊擁抱岳母。

平日娟秀優雅的紀太，也像老了十年。

她把飛機票聯絡號碼全放辦公桌上。

宗亮說：「我跟美洲說一聲就走。」

「我已知會美洲。」

宗亮點點頭，把紀太太一直送到樓下，看着她上車。

一看飛機票時間，他幾乎即刻要出發，反正即去即回，也毋須行李，他吩咐秘書幾句，留下通訊號碼。

美洲有電話上來，「我在大廈門口等你，送你到飛機場，見面再談。」

宗亮取過護照下樓看到司機把車駛近，他上車，鬆口氣。

美洲說：「我欠你一個，宗亮。」

宗亮攤開手，「我愛紀媽。」

「其實，離婚是極普通的事，百分之五十二夫婦終究會得分開，老媽恁地看不開。」

「你知道這事多久了？」

「亞洲上星期約我去試酒會，三巡過後，她說：『呵是，我與王青雲分手了』。」

「還說什麼？」

「一字也無，這正是她表現涵養修為的時候，四十多歲，博士學位，她守口如瓶，不會失禮。」

「難得。」

「我也這麼想。」

「是否以後見不到青雲這個人？」

美洲微笑，「你會想念他？不過是姻親，不久將來，也許他做別家女婿，忙着娛樂別家。」

宗亮輕輕說：「跟他去Z牌時裝店，可打九折。」

美洲也吁出一口氣。

周宗亮側頭看着她優雅美麗的妻，全身淡灰色套裝，頭髮挽在腦後，露出雪白粉頸。

她這樣說：「速去速回，切莫遊蕩。」

她把一隻小小旅行袋交他手上。

周宗亮走進頭等艙，要一杯礦泉水，取過報紙，脫去外套，輕輕坐下。

座位Ｗ排列，以便拉開當臥鋪，旁邊一位老年女士，不熟悉各種機關，周怎會袖手旁觀，他一邊幫手，一邊按召人鈴。

那位女士千謝萬謝，看清楚周宗亮，不由得一怔，如此俊朗爾雅男子少見，舉手投足叫人歡喜，彬彬有禮，不多一句話。

女士心想，只有她年輕之際，偶然還可以看到如此優秀男生，如今，男人四十像三十，三十像二十，粗魯自私幼稚，人生漫無目的，越活越回去。

「貴姓？」

周宗亮雙手遞上名片。

銀髮老太太再細細端詳他，「我有一個侄孫女，聰明漂亮，我願意介紹給你。」

周宗亮忽然笑了，沒想到斯文的老太太會倚老賣老。

「笑起更加好看，我說真的，這是我家在倫敦住宅。」她也給他一張名片。

宗亮一看，「呵，失敬，你是名作家米珍女士。」

「你有讀拙作？」

「昨天正拜讀《幾何故事》。」

「有空撥電話給我。」

「米女士，我已婚，有妻室。」

「啊，」老太好不失望，豪爽地說：「Blast！」

惹得周宗亮又笑起。

這之後，米女士閉目養神，周宗亮自然不去打擾。

他心想，與王青雲說些什麼？不如閉上嘴巴。

就這樣決定了。

下飛機前他去漱口，出來先幫米女士取過手提行李，又問她是否有車來接，一聽沒有，連忙把秘書訂下的包車讓給她。

米女士見他如此細心，十分感動。

接。

出了禁區，周照顧她上車。

好人有好報，這時有人拍他肩膀，他抬起頭，正是王青雲，沒想到他會來

「我知道你要來。」

「誰通知你？」

「紀媽與美洲，我真酸溜溜，她們視你若珍寶，不過說實在，阿宗，你也確值得痛愛。」

他開一輛最新鷗翼平治跑車，公路飛馳。

「你來做說客？」

「這麼早起來，難為你。」

「宗亮，我勸你什麼也別說。」

「我也決定那樣。」

王青雲稱讚新車：「得心應手，唯命是從，體貼暢快。」

同他的新情人一樣吧。

二十分鐘後，王青雲把車子駛入一間路邊小餐館。

「我們吃早餐。」

坐下，年輕女侍替他們斟咖啡，「好車。」她嬌媚地笑。

「謝謝。」

兩個男子都比一般東方人高大，屈着雙腿坐。

青雲說：「好傢伙，果然一言不發。」

「同你這種人，夫復何言。」

「我倆相識十多年，比兄弟還親厚。」

「留不住你。」周好不諷刺。

「阿宗，我已四十五歲，人只能活一次，我知道所有見異思遷的男人都會那麼說，但是我與亞洲彼此厭倦，又無子女，沒有牽掛，也許，我倆太早結婚。數年後發覺性情不可能磨合，已經太遲，我仍然愛亞洲，有誰欺侮她，我會拚命保

護，但是，上次你與妻子舌吻，是什麼時候，零一年？」

周宗亮忽然站起，走到餐館門外。

他覺得有點急躁。

王青雲付帳追出。

他上車往市中心駛去。

「美洲說你只留十多小時。想去哪裏？」

「假如你那處方便，我想好好睡一覺。」

「什麼不便？她不住我公寓，阿宗，你以為她靠我吃靠我住？她有正當職業，她在一間雜誌社任編輯，又是土生兒，出生便有護照，她不企圖在我身上得到任何事物，我倆純粹彼此吸引愛慕，與她在一起，我快活如神仙。」

「王青雲，請你說話尊重。」

「阿宗，你是我認識最理智的人，像天外來客，已經進化成一束腦電波，肉身對你無用，七情六慾是一種拖累，你緊緊壓抑，不露消息，告訴我，那麼些

年，可覺痛苦？」
周宗亮冷冷說：「老兄，你先管好自己的事。」
「我已簽妥離婚書寄上，我已除下婚戒，我一是一，二是二，我為自己離婚，不為任何女人。」
所以不能挽回。
周宗亮暗暗嘆口氣。
到達王宅，女傭已在收拾，周宗亮走進客房，先洗頭淋浴，換上白T恤牛仔褲，往床上一躺。
王青雲進來說：「我還沒講完。」
「拜託，饒我。」
「我那婚姻生活，就像你這次來回做說客，明知一點結果也無，仍然不得不履行義務，身不由主。」
周說：「我記得附近有座網球場。」

「每週一次，傳教士姿勢，漸漸躲懶。你做北美股票，需半夜觀市，於是分開房間休息，相敬如賓，些微火星也告熄滅，仍然不願言敗。」

周宗亮不由得惱怒：「你少說我。」

「阿宗，你我同一條船上，她們是兩姐妹，我知道你的事。」

「我不想與你分享。」

「亞美兩洲都有潔癖，床單毛巾全白，每日清換，連廁所都要沒有氣味，她們全身體毛用鐳射清除，着丈夫也脫光汗毛，上床要穿睡衣褲，睡房外不得穿拖鞋，早午晚三餐除外，不得任意掏冰箱找零食，可是這樣？喝各種酒分各種酒杯……我現在特愛用紙杯喝香檳。」

周宗亮說：「我出去走走。」

「阿宗，這次見面，也許是最後一次。」

「你想我怎樣？擁抱你哭泣？」

「承認你與我一樣不快活。」

「沒有的事。」

「那麼，我們去看鋼管舞。」

周宗亮沒那麼好氣，打開手提電腦，開始與公司聯絡，在八千里外辦公。

他給了幾項指示，又向妻子問候。

美洲問：「可見到她？」

「沒有。」

「有救沒有？」

「大抵也沒有。」

再去看王青雲，他已在客廳沙發上盹着。

一邊趺着一本小說，題目叫「男性生殖示警」，周宗亮好奇，取過翻開一頁：「腹部結實平坦，腹肌像鋼板、毛髮旺盛……因為主要男性荷爾蒙睪丸素酮由腰部脂肪分解，肥胖男子明顯缺乏該種內分泌……」

周宗亮沒好氣，丟下小書，噫，不可小覷，由幾名醫生合著呢。

他外出散步。

有兩個年輕女子牽着一條大丹犬迎面而來，看到周，肆無忌憚上下打量，用清脆英國口音評頭品足。

周一聲不響目不斜視走過。

其實他一向喜歡女子用英國口音，重音短促放在第一聲，像孩子說話，十分誘惑。

但那兩個少女太過粗獷，身段似阿瑪遜女戰士，多看一眼也許會捱打。

一路上公寓房子都是戰前建造，寬大舒敞，周曾向美洲表示欣賞，美洲慫恿他置業，他又嫌煩，被王青雲笑他有抑鬱症。

回到王宅，主人已經醒轉，在書房用跑步機。

看到周，王青雲把汗衫扯起，叫他看他新練成的四塊腹肌，「我開始吃沙拉，減卻十五磅，整個人精神不少。」

他竟然吃素。

「宗亮，我記得從前你身段超好，最近衰頹，幸虧頭髮不掉，哈哈，我最近讀許多防衰老文字，單身男子，又得出來行走……」他如服食過安非他命般興奮。

周宗亮並無插口餘地。

「阿宗，你忽忽跑這次，我欠你人情。」都那麼講。

周宗亮終於開聲：「你決定不回亞洲身邊？」

「不會了。」

「為着那女子，值得嗎。」

「這麼些年來，我可否代你發言？我們被那兩姐妹pussy，whipped，唯命是從，像兩條狗，什麼都聽她倆指令，我只想做回我自己。」

「我傍晚走。」

「我帶你到鷹獅吃你最喜歡的腰子餡餅，美洲不讓你吃動物內臟可是，

唉。」

「有一日你會想念我們。」

「那當然，但，自由誠無價，阿宗，有一道男子健身秘方——」

「我不想知道。」

「阿宗，女子維持年輕容易：她們姐妹去年縫高眉角，今年打整下巴，明年？也許輪到額角，有的是辦法。」

什麼。

王青雲看到周宗亮驚駭目光。

「你不知美洲整形？不可能，她的腰身仍然廿六，她腹部生育後如此平坦，你與她同床共寢，你不知道，她做手術吸脂？唷，周宗亮，美洲的鼻子現在多小巧，都是——」

周宗亮說不出話。

他介意女子整形？不，他自己左臉頰近眼角有一顆紅痣，美洲堅持叫他除

脫：「那紅痣多嫵媚，不應長男子臉上，惹人注目。」他聽她話除掉，至今留着小小一個瘢痕。不，他介意的是美洲從不告訴他這些行動。

美洲覺得她的肌膚肉身，她的事，她自主，與人無關。即使那人是結褵十六年的丈夫。

「阿宗，真不知是你笨還是美洲聰敏，更可能是你已不再正面看她。」

周宗亮無言。

是真的嗎。

當初戀愛，他們不也是忍不住凝視對方，周心中一直想：怎麼會有那樣秀美端莊的少女：別人都梳大蓬頭穿美式足球員般寬肩上衣，她卻直髮，戴一隻黑色緞子頭箍，穿窄身裙子。

而美洲也喜歡看到他眼裏去，「宗亮，你眉眼真漂亮。」

發生什麼事？

連妻子去做抽脂那樣大手術，他都茫然不覺，這好像是他的錯。

周宗亮至為震驚。

沒想到他來王青雲家上了這樣重要一課。

王青雲帶他去吃腰子餡餅。

喜歡的人覺得奇香，不喜歡覺得尿臭。

他們座位旁有一桌女客，王青雲低聲說：「時針十一點方向，三名女子，有人對你目不轉睛。」

凝視不放是嚴重挑逗調情行為，漂亮女子盈盈專注帶盼望的眼神，可以融化男人。

此刻王青雲的神情，像十六歲亢奮小青年。

近下班時分，人聲漸漸嘈吵。

宗亮忽然舉手叫一杯黑啤酒。

他除卻慶祝什麼平時甚少喝酒，這回連王都詫異。

「多耽幾天，我們到歐陸逛逛。」

宗亮不出聲。

「你大半生為岳父工作，他賺整個，你收零頭，你掙錢工夫比不上美洲，她們兩姐妹聯資炒賣樓宇，上海香港都賺大筆及時脫手，資金此刻轉到新加坡及溫哥華，老兄，每次轉手都賺百萬——美金。」

還有什麼更驚人消息？

周宗亮胃裏像塞一大塊石頭。

「你怎麼知道？」

「我因離婚聘請律師，法律專家認為亞洲會咬死我，故此調查她私人經濟情況，嘿，嚇壞人，她們姐妹富可敵國！你不知道吧，我也蒙鼓內，阿宗，她們根本當我倆是外人，唉，頂多是種馬，嘿。」

周宗亮實在不明白，「她們出身富家，什麼都不缺，還要冒險做炒賣？」

「證明眼光精厲呀。」

周頭皮發麻。

這時鄰座漂亮女子終於忍不住走過來，挨近，「華人，還是韓裔？本地還是遊客？」手已搭上周的肩膀。

王青雲笑，「他立刻要往飛機場，除非你留得住他。」

「呵，」妙齡女子也笑，「除非他願意被我留下。」

這話再真確沒有，跳探戈需要兩個人，男子尤其沒理由抱怨，她強暴閣下？沒可能。

往飛機場途中，兩人十分沉默。

王青雲電話不住響。

他把手機交給周宗亮，周低頭查看。

一條問：「Où tu es？」

另有人說：「Dove lei é？」

像聯合國。

都不像王此刻在約會的女子。

看樣子那女子十分沉得住氣，她不覺有必要像塊撒隆巴斯貼住王，她自信十足。

自始至終，周宗亮沒見過她。

送到飛機場，王忽然說：「阿宗，別遺棄我。」周宗亮不知說什麼好。

「阿宗，你太專注工作，回到家，留意一下美洲的行踪。」

這是什麼意思？

「我不多講了。」王大力敲拍周肩膀。

把心肝肺都掏出，是非講盡，還說不多講。

兩人握手。

那天，周宗亮沒刮鬍髭，頭髮毛毛，在飛機上找到座位，便躺下打盹，打算一路睡到回家。

他迷糊間只覺有人目光炯炯，不禁微微睜開眼。

鄰座有美貌少婦目不轉睛看着他。

周覺得尷尬，他把毯子拉高一點，遮到膝頭，男子某部位其實是不隨意肌。

女子微笑。

宗亮忽然生氣，他睜開雙眼，這年頭，女性不住輕薄男子，而他們竟無自衛之力。

他斜斜看那女子，牽牽嘴角。

那女子連忙別轉頭，周這才側着臉重新閉上眼。

女子仍看到他如一彎新月似睫毛，她真想問：喂，不知名男子，你要那麼漂亮長睫何用，不如借來一用。

一直到下飛機，周都不吭一聲，啞忍。

家裏司機一早等候，周卻吩咐：「先往公司。」

司機見他一身皺衣衫，臉容有點憔悴，不禁意外：「回公司，周先生？」

「趕快。」

進到公司，秘書一見他也怔住，留着鬚根的周宗亮看上去有點像藝術家，她

走近，聞到他身上汗息，不禁失神。

周宗亮一聲不響回到辦公室召眾助手開會。

大家都覺得周今日神情不一樣。

秘書遞上小紙：「周太太找。」

周暫不理會。

下午，他揉揉雙眼，繼續工作。

稍後，紀媽來訪。

她帶來數盒同事們都嚮往的精製蛋糕，盒子甫打開，已經一掃而空。

宗亮知她來意，讓她坐下，開門見山說：「紀媽，我徒勞無功，不幸辱命。」

紀媽點頭，「我猜也是這樣。」低頭唏噓。

宗亮與她近距離接觸，發覺紀媽兩邊耳畔各一條淺淺白色疤痕。這顯然就是她臉皮矯形的痕跡。

做女婿的再也沒有理由瞪着岳母面孔看，宗亮目光轉移到紀媽大顆鑽石耳環上。

「宗亮，你看你累得，鬍髭都長出來。」

「還好，不過開始覺得長途飛機吃力，不比十多歲時，身體任意蜷縮，一條蟲那樣在經濟客位就睡得極妥。」

「美洲讓你回家休息。」

「明白。」

紀媽認真識趣，又嘆息一聲，靜靜離去。

沒想到美洲也接着來訪，帶來兩大壺精品咖啡，同事們以為過節。

她穿着蝦肉色套裝，同色頭箍上有些少黑色網紗，看上去，頂多廿八，或是三十二。

她輕輕碰一下丈夫臉頰，「唷，長鬍髭了。」

宗亮看着她，忽然有點陌生。

從小到大，美洲每一個動作都十分優雅，像是精心編導的舞蹈步驟，前進、揚手、微笑、後退、坐下……永無失禮失態。

這時她閒閒問：「那女子長得怎樣？」

「我沒見到。」

「十多個小時，沒見到？」

「她不在他身邊。」

「他怎麼說？」

「還他自由，他完全知道他在做什麼，以及要的是什麼。」

「十八年，就那樣完結。」

這時，美洲雙眼露出些許倦意。

「那也是他的十八年。」

「男人多多少少幫着男人，他還說什麼？」

宗亮這時凝視妻子鼻子，可是仍然看不出不同之處，他的視覺與感覺都已遲

鈍。

「回家淋浴，宗亮你身上有味道。」

「知道。」

美洲走了。

秘書進來說：「溫泉會所提醒閣下，明午五時有約。」

「取消，不用改期，以後不會再去。」

他看到秘書嘴角有一斑蛋糕奶油，他伸出食指，替她抹去，順手放入嘴裏，把奶油嗒掉，秘書發獃，有數秒鐘不能動彈。

她為高大英俊的老闆服務三年，他一向眼觀鼻，鼻觀心，今天是怎麼了。

周宗亮很晚才回家，女傭仍在等他，盛一碗清雞湯放他面前。

宗亮心想，才四十出頭，生活似舊日地主老爺。

他淋浴洗頭。

在鏡前打量自身，王青雲說得對，他的身段大不如前，缺少鍛煉，肌肉大部

份隱退，腹部似已開始囤積脂肪，警示！

他吸進一口氣，只穿汗衫及運動褲走進廚房，斟杯蔬菜汁，回轉書房。

美洲進來找他，吃驚，「你為什麼不穿衣服？」

「我並非裸體。」

「女傭會看到。」美洲仍然不以為然。

「她已經下班。」

「宗亮！」

「你有話說？」

「你沒剃鬍髭，宗亮，你不是藝術家，你要見客，一臉于思有礙觀瞻。」

宗亮這才發覺美洲事事都要管教，把他當小學生，而她是訓導主任。

他不禁苦笑。

「我有王青雲情人的照片。」

「美，這不是我家的事。」

「你不好奇？」

「我不想知道。」

「你這個人，有時明潔似薄胎宋瓷。」

臨睡前，美洲還穿着長褲襯衫。

「今晚趕工？」

「如常。」

「宗亮，見過王青雲後你似有感觸。」

「瞞不過你，過來，坐我膝上。」

紀美洲像是聽到世上最滑稽的話一般，「什麼？」

宗亮拍拍膝頭。

「你發瘋了，老骨頭，還玩這種遊戲，不怕肉麻？早點休息，我還有一些帳目要計算。」

她翩然離開書室。

周宗亮發獃。

多久沒親熱了。

他的身體不再吸引紀美洲。

儘管街上許多女子仍對周宗亮目不轉睛，妻子已經看膩了他，或者，覺得丈夫的功能不在情慾，丈夫是一家支柱，得全力撐住整個天。

第二天，周宗亮不再在咖啡放糖。

女傭輕輕說：「太太已經出去，請你剃鬍理髮，還有，去一趟溫泉會所。」

這紀美洲，同丈夫體毛有仇，他偏不去，尤其是溫泉會所，先是脫光上油按摩，繼而搽蠟，貼上麻布，刷一聲，把胸上腹下汗毛全部拔清，每次都痛三天。

周宗亮實在受夠。

況且做了光雞也無任何報酬，又不是說吃飽苦頭回家中嬌妻即時撲上贈吻。

是做回自己的時候了。

大學時期，他出名是毛孩，長髮紮馬尾，綁不住碎髮當劉海，若非身段高

大，肯定被人當女性。

不少女同學藉故問：「阿宗，可以摸一下嗎？」朝夕相處，同學，周通常慷慨伸出手臂。

沒想到，它們成為美洲眼中釘。

他有事要做。

先到著名男子理髮店，坐下翻閱髮式圖樣，一個金髮髮型師走近替他按摩肩膀，她低聲說：「雙肩繃緊，為何緊張？」

周宗亮聽見自己答：「因為見到你。」

金髮女微笑，「那我替你出主意。」

她取出相機，替他拍照，載入電腦：「你留鬍十分漂亮，不妨這樣。」她加進映像，「頭髮三七分，略長，看，多瀟灑。」

周宗亮點點頭，是否好看，他不計較，最要緊是不一樣。

金髮女繼續說下去：「配書卷氣小圓領襯衫，緊身外套，你就像大學教授，

不過，得減掉十磅。」

「你們都想改變男人。」

「唷，『你們』是誰？」

她與人客交換電話，「記得，每兩星期，找素西，你戴着婚戒，告訴夫人，我只是髮型師。」

她親自幫他洗頭，「頭髮像絲一樣，卻又濃密，髮尾天然鬈曲，真漂亮。」

周宗亮忽然臉紅。

「喲，耳朵都燒起。」

她幫他小心修剪髮腳。

一邊說：「我常問客人一個問題，妻子美且慧，男子為何還要有別的女人？」

「我沒有別的女人。」

「可想要？」

「像我這種年紀？不必出醜了吧。」

金髮素西嚇一跳，「周先生，你若要約會我，任何時間，任何地點。」

嗄？

「周先生，你真例外，男人最喜三分顏色上大紅，藥房裏——往往一掃而空，而據實際調查，世上只有百分之五男性才適用。」

周駭笑，西洋女郎大膽而詼諧。

「你還沒回到我問題。」

素西找人幫他修指甲。

周想到王青雲那寶貝，「男人像小孩，要面子，怕寂寞，妻子不再當他是香餑餑，他自尊受損，便外出發展，這是心理學說法。」

金髮女詫異，「還有別的理論？」

「生理上，男人為着適者生存，下一代因子越是不同，在各種環境下都有存活機會，故此選擇眾多配偶傳宗接代。」

金髮女沒好氣，「這是達爾文理論？」

周不再說話。

自理髮店出來，他去添新衣。

時裝店服務員看到他呆住，「周先生，你像馬球牌廣告模特兒。」

他煥然一新在辦公室出現，秘書幾乎不認得他。

周宗亮戴一副真眼鏡，看上去度數不輕，原來他一直是大近視，平日戴隱形眼鏡不發覺。

秘書也是聰明人，她知道周宅出了些事故。

中午，紀美洲找丈夫，「可要一起吃午飯？」

「沒時間，下班請你準時回家，我有話說。」

「那是幾點？」

「下午六時半。」

「不能在電話講？」

宗亮固執，「面對面，不用電郵電話電訊。」

「你口角像孩子。」

他掛上電話。

秘書進來找他簽名，看到他衣衫緊緊，臉上毛毛，又戴眼鏡，出奇地波希米亞，像上世紀四十年代人物，她呆住一會。

宗亮放下鋼筆，「還有事嗎。」

她連忙退出。

女同事在茶水間說：「周改變形象。」

「真沒想男子留鬍那麼好看。」

「不是任何男人，是周宗亮。」

「真想伸手去摸一會，問他：癢嗎，打算留多久，為什麼留。」

這時剛有男同事進來，她們一哄而散。

下午開會，紀父看到女婿新形象，不出聲。

稍後他與紀媽通話，「宗亮是怎麼了？」

「你說他呀。」

「我才不管，只要他每年替公司賺雙位數字，他穿裙子我也任他。」

所以，周宗亮也早被縱壞。

那天他準時回到家裏，美洲見到他，沉默。

宗亮從前回到家，總會帶一束小小的花給她：勿忘我、鈴蘭、紫羅蘭……看季節而定，他不喜歡大朵花如牡丹及玫瑰，他不喜任何囂張事物，他一直說，在英讀書多年，學到一些，英人別的優點沒有，但收斂低調自重的態度一流。

不過，那是很久之前的事了。

美洲傷感地看着丈夫，今日的他，對着妻子，也像談判專家，與她對着幹。

周改喝綠茶。

「坐下。」他對美洲說。

「我一會還要出去。」

「去何處？」語氣平淡。

「與亞洲她們打橋牌散心。」

「我只要說一句話，把紐子叫回來。」

美洲瞪着他，「你再說一遍，此刻五月，紐子正大考，講好六月他與同學逛歐洲，七月才返家見外公外婆。此刻無端發號施令，你有毛病？」

周宗亮悲哀，「美洲，你一開口像吵架，從前你不是這樣子。」

從前她廿歲，從前她不會對他呼呼喝喝，從前他倆有商有量，從前——美洲忽然掩住臉，隔一會她說：「考完試紐子會回來。」

「我不要他寄宿，我想念他，我想見着他，我要與他打球下棋看裸女雜誌。」

美洲盡量按捺性子，「他明年讀完十二年級考大學，學業不可中斷。」

「我要見到他。」

「宗亮，你這次去找王青雲他餵你吃了什麼藥？」

宗亮坐下，「我煩躁。」

「不舒服要看醫生。」

美洲決定提早外出，她取起手袋。

「不許走，陪着我。」

「你的話已講完，我反對，大家臉若冰霜似對着吃飯，我沒胃口，我幫不到你，宗亮，對不起。」

她忽忽出門。

靠在駕駛盤上，美洲眼都紅了，現在她可明白，夫妻間感情如何餿壞長蟲。

她把車子加油疾馳。

她開啟車上電話。

號碼接通，那邊一把男聲說：「美，你在什麼地方？」

美洲哽咽：「路上。」

「什麼事不高興？」

「方便見面否？」

「我一個人在書房工作。」

「十五分鐘後到。」

那邊宗亮也沒耽在家，他到健身室。

接待員笑，「周先生，好久不見。」

「我要找私人教練。」

「女教練可好，一位柔軟體操前金牌選手，叫張平，最耐心和氣。」

周宗亮點頭。

接待員請教練出來，那是一個眉目清秀的年輕女子，周當她是老師，十分尊敬，訂下受訓日期及時間，他說出需要：「六塊腹肌，強壯圓滾手臂，女生最喜歡那種。」

「要有恆心。」

「是，是。」

年。

周宗亮最會忍耐：寒窗十載，一段婚姻十六年，還有，在岳父公司二十週年。

他自覺像一塊長滿青苔的石頭，不知怎地，想滾動一下。

張教練送到門口。

周覺得他此刻需要三個導師：律師、心理醫生，及健身師傅。

他回到家，做到老晚，隱約已聽到鳥叫，他有話想與美洲說，走到寢室，才發覺妻子根本不在家，她通宵在外。

周宗亮累了，多久沒在這張雪白大床上睡覺，他倒下在一邊，實在舒服，立刻睡着。

不知過多久，忽然聽見窸窣聲響，他驚醒，自床上坐起，這下子嚇着了在暗地更衣的美洲，她忍不住尖叫。

「誰，你是誰？」

周宗亮本來想笑，可是隨即覺得悲哀，他連忙揚聲，「是我，別怕，是

我。」

美洲已經退到一角，抓着電話要撥三條九，聽到丈夫聲音，愣住。

「你怎麼會在這裏？」

「這是我的家，這是我的床。」

美洲喘息甫定，「你一向不睡這裏。」

宗亮開亮燈，「你去了何處？」

「媽叫我回去陪她，亞洲在娘家，她怕與亞洲單獨相處。」

「母親怕女兒？」

「亞洲沒好臉色，不是哭喪，就是懷恨，媽說她已受夠，可以做的也都做盡，她有點心灰，覺得上了年紀，不應受罪，故此着我在場，分散亞洲注意。」

「亞洲開頭不是相當堅強。」

「越想越不值。」

「你怎樣勸她？」

「我說，不如找個男伴，黃昏，夜晚，有個人陪着聊天，看場戲，跳個舞，吃頓飯，漸漸就習慣。」

「她如何回答？」

「我陪她在網上介紹所登記，消磨整個晚上。」

「不怕危險？」

美洲聲音有點荒涼，「十八廿二女子才怕危險。」

宗亮坐床上不出聲。

美洲瞪他一眼，「你渾身長毛，快變野人。」

宗亮正想說句俏皮話，美洲已經躲進浴室，這一進去，恐怕個多小時不出來。

他嘆口氣，輕輕對床鋪說：「對不起，打擾你。」

美洲在浴室內也不好過，她坐在浴缸裙邊，垂頭無聲，約半年前，她趁丈夫出差到杜拜，鼓起勇氣，到著名矯形醫生處合共做了六項手術，幾乎改頭換面，

連護理人員都稱讚各項手術巧奪天工，但是丈夫回到家，問候一聲，即返書房工作，那時，紀美洲才明白，周宗亮已經看不到她。

他的視網膜不再把她映像傳入腦海，她對他只是一個記號，只要她把外套掛在那裏，他也會對住衣服問好。

她再整遍全身也毫無作用。

整形過程痛苦，最難受不是活生生把皮肉切開縫合，而是要承認肉身許多地方已經不及格需要維修：眼皮上下、鼻子、耳垂、胸脯，還有最重要部位要修整得與尚未生育前一樣。

腹部那三磅多餘脂肪，十年來無論節食按摩運動都拒絕消失，只得用儀器抽脫。

美洲受局部麻醉躺手術床上聽到機器發出刷刷聲像吸塵機一般聲響，既是滑稽又是悲哀，做完手術，用厚厚紗布紮了半個月。

但周宗亮不會發覺。

只要她還是紀美洲，他就不會再看她。

等到她梳洗完畢，丈夫已去上班。

她吃一碗粥，累得睜不開雙眼，仍然給亞洲通電話：「我想你介紹那個私家偵探。」

亞洲沉默一會，「宗亮不查你已經很好，你還查他？」

「別多事。」

「你又編說昨夜聽我訴苦？紀美洲，我真得控告你毀壞我形象。」

「對不起。」

那邊周宗亮回到辦公室，問助手：「我們公司不是雇有私家偵探？請他來一趟。」

助手答應着出去。

下午，他正忙，他要找的人來了。

宗亮一看，原來是個年輕女子，個子小巧，有雙精靈大眼，穿深色套裝及球

鞋。

她自我介紹：「周先生，我叫陳禾，在貴公司工作已有三年。」

「你通常做商業調查可是。」

「不錯。」

「有一件事委託，當然，不在話下請嚴密守秘。」

「明白。」大眼睛不透消息，十分持重。

周宗亮吁出一口氣，取出一早準備的地址及照片，「請你告訴我這位女士每天行蹤，為期一月。」

陳禾答：「知道。」

「拜託。」

宗亮把資料及一疊現款放進淡黃色公文袋裏交給私家偵探。

他在內心譏諷自己：多可笑，像電影與小說情節般，他做得那樣磊落簡單。

「我每日下午六時向你匯報調查結果。」

周宗亮點頭。

公文袋裏的照片地址，屬於紀美洲。

大眼睛私家偵探告辭之後，他託友人介紹心理醫生。

熟人訝異：「阿宗，你需要心理輔導？那我們豈非要進精神病院。」

「我需要傾訴對象。」

他咕咕笑，「找個女朋友。」

「你可有熟人？」

「男醫還是女醫？」

「好醫。」

他說：「我把姓名地址傳給你。」

周宗亮當下就預訂時間。

他此刻生活挺充實，一三五運動，二四六見醫生，每日都聽偵探匯報，時間安排得滿滿。

他有點想念王青雲。

青雲時常與他結伴到各種會所吃飯試菜，他認識各式各樣各行各業友人：演員、詩人、政客、商賈、制服人員……時時偶遇，坐攏談一會，宗亮帶着微笑做觀光客，十分享受。

他尤其喜歡青雲碰到女明星，周發覺她們真人完全不同銀幕所見，往往連照片也不如。

妻子紀美洲漂亮得多。

美洲至大優點是優雅，她最大缺點亦是過度優雅，在寢室內也如是。

此刻只剩他一人。

他走進紅牛酒館要一客蘋果餡餅。

女侍說：「周先生，那是中午剩下，希望不要介意，加送一球香草冰淇淋如何。」

他點頭。

女侍說：「好久不見王先生。」

「他在倫敦，暫時不回來了。」

這時領班走近，女侍識趣退走。

宗亮坐在櫃枱前吃蘋果餡餅，忽然有人拿着叉子未經徵詢在他碟子挑起一塊放進嘴裏。

宗亮訝異，他先看到鮮紅櫻唇，再看到上唇邊細細汗毛，然後是一張年輕可愛笑臉。

「廚房說你吃了我每日預留最後一塊餡餅。」

這女子是誰？

「我是紅牛新老闆珍珠。」

宗亮點頭問候。

「周先生是常客，請多多指教。」

她並沒有停下來，把剩下半塊餅吃乾淨。

這時，她忽然看到周宗亮手上的結婚指環。

「啊，」她失望，「你已婚。」

周失笑，「倘若未婚，又怎樣呢。」

珍珠有話直說：「你的外形氣質都吸引我，但是，我從不與已婚男子約會。」

宗亮微笑，這女子最誘惑之處是上唇未脫細密汗毛。

「你有子女吧。」

「一個兒子，已十多歲。」

「所以，我父在我十二歲時出走再婚，己所不欲，勿施於人。」

她的手，大膽放周宗亮膝上一會，並無下文，然後，她遺憾地失落走開。

宗亮要結帳，女侍說：「付過了。」

真沒想到這年紀還能混吃混喝，心情突覺輕鬆。

回到家，意外看到亞美兩洲。

亞洲倚老賣老，「宗亮，過來抱一下，好久沒聞到男人味。」

宗亮只得走近。

亞洲緊緊抱住他，把頭埋在他胸前，深深呼吸。

美洲揶揄：「一身汗臭，送你如何。」

「你別假大方。」

宗亮脫下外套喝茶。

亞洲說：「我在網上找到約會，一見面，原來彼此都用二十年前照片，笑得翻倒。」

宗亮說：「能笑就好。」

亞洲說：「最近時時借用你愛侶的寶貴時間，在此謝過兼致歉。」

「可有新歡？」

亞洲比美洲略胖，態度亦較自然豪放，她把豐碩的手臂往沙發背上一放，腋窩附近那多餘雪白的肉，便顫動一下，她問非所答：「胖了十磅。」

宗亮發覺他目光全落在不應該的地方，可是，沒有大姨或小姨的人不知道，擁有她們是一種艷福，半妹，半妻，關係曖昧，無比親暱，卻不可造次。

這時美洲忽然想起，「宗亮，C醫生說你做結腸及攝護腺檢查的時間到了，還有D牙醫診所叫你洗牙——」

宗亮一聲不響。

「你得定時檢查身體，維修保養，宗亮，我們不是廿八、卅二，你要小心處理唯一肉身。」

宗亮並不打算活到一百歲，但他仍然不發一言，與女性爭執是一件失格愚昧的事，美洲是他兒子的母親。

亞洲在一邊笑，「你怎麼當他是紐子。」

美洲頹然，「比紐子更糟，紐子還會說Yeah，yeah。」

「你太熱心領導工作，太起勁指揮他們，你要自我檢討。」

這時宗亮走回到書房，紐約與多倫多已經啟市。

上次紐子見到他，給他一隻光碟，「你會喜歡爸」。他以為是八十年代流行音樂，可是不，整張錄音是海浪聲響，隔一陣還有一聲海鷗叫。

他想到紐子出生時情況。

生育過程異常苦楚，醫生不勸喻年輕產婦做手術生產，那時他們少不更事，以為吃苦是偉大表現，犧牲代表愛，美洲掙扎整夜，痛哭失聲。

「可要叫爸媽來陪」，「不用，請給我留一點尊嚴」，「出生才知會他們？」，「你也出去，好讓我專心應付生關死劫」……

宗亮含淚在門外等。

然後，醫生揚聲，「叫那爸爸進來。」

他搶進房去，看到那青紫色嬰兒手舞足蹈大叫大哭，看護着他剪斷臍帶，送到他懷中，嬰體膚色漸漸轉為粉紅。

他趨向前問候美洲，她目光卻不在丈夫身上。

她把嬰兒抱在懷裏，親吻他，「cute as a button」，紐子之名，就此得來。

「九磅半！」護士駭笑，「大塊頭，出院你可以直接讀幼兒班。」

宗亮回憶到這裏，驀然發覺，生育之後，美洲變了一個人，她全身愛侶分子宣告死亡，新生長的是慈母細胞，她親手把紐子帶大，不假他人，女傭只幫手做家務烹飪。

她一直把紐子抱懷中，直至一兩歲，重得不得了，紐子仍伏在美媽肩膀上，大滴淚水，不知傾訴什麼。

亞洲這樣忠告：「他是男兒，無論你怎樣疼他，長大後一定忤逆。你要他讀建築，他偏偏唸美術，夜半必然悄悄偷出去會小女友，你要有心理準備。」

但美洲癡心答：「但這短暫一刻，母親是紐子心目中最重要人物。」

她全副心思放紐子身上，陪他坐廁所，讀書給他聽，一起搭積木，看電視動畫節目，逛迪士尼樂園，漸漸紐子成為太陽，她心目中再也沒有別人。

只不過一兩年光景，紀美洲已經變心，把周宗亮丟到腦後，孩子謀殺了婚姻。

她不再與丈夫親熱。

她這樣說：「我縫過針，傷口仍未恢復。」

「已為人父母，其他已不重要。」

宗亮維持噤默的體貼。

一次美洲甚至說：「我覺得生育後肉身醜陋，像隻鬆弛大袋。」

但只要紐子在身邊，一切都值得。

這時亞洲敲門進來，「宗亮。」

她看到案上紐子近照，「宗亮，小紐子與你一模一樣一個印子。」

宗亮答：「是我生的孩子當然像我。」

「我不喜歡孩子也鍾愛紐子。」

宗亮微笑看着她。

「我與美洲出去逛逛。」

天都黑了，店鋪打烊，到何處逛逛？

「兩個美女，深宵逛街，小心為上。」

亞洲過來捏一捏周的肩膀，出去了。

第二早宗亮到健身室做體操。

教練張平着他做簡單熱身動作，他的手指碰不到足趾。

大驚之下，咬緊牙關死挺，教練毫不客氣，「低些」，「高些」，「努力」，「不要怕」……真是自討苦吃。

渾身大汗，他不住喘息，比任何時候都像四十歲，一小時後他大字般躺地上拒絕再動。

張平說：「做得好，下次見。」

那天晚上，他四肢痠痛，要服食止痛丸。

他咕噥：「老壽星找砒霜吃。」

第二次做體操，關節卻靈活得多，也較易達標。

張平略露笑意。

同日下午，宗亮向心理醫生報到。

接待員是年輕女子，看到英俊憔悴的他不禁一怔。

她帶他進一間房間，「請稍候，周先生。」

關上門，另一個接待員追問：「是哪個明星？」

「不是。」

「霎眼一看，好漂亮。」

周宗亮呢，一進房間，就覺鬆弛，房間中央放一張寶藍絲絨貴妃榻，又厚又寬，宗亮連忙走過去，脫掉鞋子，躺下。

他覺得有點涼，把外套脫下搭肩上，不知怎地，忽然渴睡。

為什麼那樣舒服，像回到多年前父母的家一般。

但老家並沒有如此舒服的絲絨沙發。

宗亮知道有些賭場，會得輸送氧氣，好叫賭客精神一振，舒舒服服坐着玩下去，那麼，這間心理醫生診所，空氣裏又有什麼成份。

他已盹着。

周宗亮渾然不覺醫生開門進房。

醫生看到他睡得那樣舒服，不禁好笑。

見心理醫生的人通常有點緊張，此君例外。

她走近，輕輕叫：「周先生，我是米醫生。」

宗亮唔一聲，繼續憩睡。

醫生只得坐到辦公室前閱讀文件。

她沒有叫醒他，睡一個好覺可能是最佳心理治療。

半小時過後，他仍未醒轉，米醫生再次走近看他。

這時宗亮的臉稍微朝外，米醫生看到他的濃眉長睫高鼻以及一臉鬍髭渣，好漂亮的面孔。

她一怔，查照他履歷，這男子已四十歲，職業是財經顧問，已婚，有一子。

英軒的他有什麼煩惱？

一小時診症時間過去，他還未醒轉。如此好睡，不知夢見什麼。

她還有另外一個候診人等候。

接待員問：「可要叫醒他？」

「下班時才喚他未遲，算一小時診費。」

「明白。」

宗亮只覺從來沒有這樣好睡。

夢中聽見母親叫：「阿宗，球友在樓下等你。」

外婆喊他：「宗亮這樣懶，不像是有出息的人。」

他只是嘻嘻笑。

忽然有人推他肩膀，那人才咕咕笑，「周先生，該醒了，我們都下班啦，要鎖門呢。」

宗亮怔怔坐起，看看手錶，嘩，整整睡了兩個小時。

他問：「醫生呢？」

「醫生來過，又走了。」

「呵，對不起。」

「醫生說，你睡醒想必舒暢得多。」

宗亮答：「我太失禮，請代我致歉。」

接待員把下次時間告訴他。

宗亮走到街上，發覺天色已暗。

他只得回家。

他給兒子電話。

「紐子你在做什麼？」

「未滿十六歲，不能結交女友，只得勤寫功課。」

「成績如何？」

「八十二、八十九、九十二。」

「八十二是什麼科目？」

「生化物理。」

「紐子，你媽會殺死你。」

小青年嘻哈絕倒，「我都不再害怕，她什麼都放大來做，隔八千里吩咐我多穿衣少吃漢堡，不要與西女談情，運動要小心……我猜想所有母親都如此。」

「要錢用嗎？」

「我還有零用，看，爸，如果沒話，我還有其他事。」

「呵，那我掛線。」

寂寥。

宗亮忽然想起紅牛酒館老闆娘珍珠。

她很明顯是混血兒，否則不會有那般濃密汗毛，他注意到她額角、腮邊、手臂……密佈茸毛像隻熟透桃子，真想用手指尖輕輕去觸摸，一定癢癢。

宗亮不明美洲何以把體毛全部用鐳射清除。

身上每一件器官都有實際用途，體毛具靈敏觸覺，兼有排熱排汗作用。

這時，宗亮身上汗毛，也差不多長齊，感覺十分舒服，像是恢復一點自我，似自生活刻板模子走出一步，自由了嗎，他還沒有看到渴望的藍色天空。

說到藍天白雲，都會空氣多數污染，游離分子多到居民看不見美麗蒼穹。

妻子不知回來沒有。

女人的去處往往比男人多，男人若不愛酒色賭，簡直難找安慰，可是女生到老人或兒童院服務就可以消磨極富意義整天。

正在發獃，美洲忽然敲門進書房。

宗亮轉過頭去，愣住。

美洲不知幾時回來，已經更衣，穿着黑色絲綢全套內衣及袍子，高跟拖鞋上還綴有一撮羽毛，與她端莊無瑕的臉容，全不配合。

宗亮瞠目結舌，不知如何反應。

美洲手裏還拿着一隻酒瓶與兩隻高腳玻璃杯。

她輕輕說：「我來與你交際。」

宗亮心中不知為什麼說不出畏懼，受她冷落十多年，已成習慣，他把心理與生理情況都處理妥善，今晚突生變化，令他措手不及。

說時遲那時快，美洲已坐到他大腿上。

他閃避不及，身體往後一仰，夫妻二人連人帶椅摔倒地下，咚隆一聲。一瓶梅洛紅酒全倒在宗亮白襯衫上。

他連忙把妻子扶起。

美洲在剎那間也覺行為荒謬，老夫老妻還要用到色誘，況且，丈夫一臉錯愕，絲毫不覺陶醉，她徹底失敗。

美洲忽忽離開書房。

宗亮追上，她已關上房門。

剛才不知何處來的濁勇，叫她想那樣大膽更新夫妻關係，鬧個大笑話。

美洲雙手簌簌發抖。

她揚聲：「我要休息。」

宗亮在門外說：「晚安。」

第二天早上，一切如常，隻字不提。

這樣還能拖多久？

下午，大眼睛偵探陳禾來訪。

「周先生，向你匯報。」

「是，請坐。」

小個子渾身機靈的她開門見山，「周先生，周太太也雇人跟蹤你。」

什麼？

「這是那個人，是我們行家，叫洪琪，」她把照片攤在桌子上，「她工作的日子似比我長，已經跟了一段日子。」

美洲也派人查他行蹤，世上還有更悲哀的事嗎。

「這是周太太過去數日行踪，她在模特兒學校練習時髦走路節奏——」

「走路也要學？」

陳偵探不出聲，隔一會又說：「又往舞蹈學校，我進去看過，學鋼管舞。」

宗亮幾乎血不上頭。

照片裏清晰看到周太太紀美洲穿着昨夜那套黑色網紗性感內衣，與她一起正在起勁學習的是他大姨亞洲。

周宗亮發獃，這兩名淑女快變成一對末路狂花。

他又看到另一張照片中一輛黑色小轎車裏坐着一個年輕女子，她正在喝咖啡，車停在周宅附近。

這是對頭聘請的偵探，也是個年輕女子，這社會上能幹肯幹的女子真正不少，已成為她們世界。

這時，陳偵探發出皇牌。

「這是周太太的朋友麥辛，英籍，加國皇家銀行貸款部大班，他們每週三在一間叫藍色多瑙河的小咖啡館聚會。」

宗亮忍不住雙手顫抖，他想知道的事他終於知道了，且有證據在手。

照片裏紀美洲與一個灰白頭髮英俊中年外籍男子對坐，她垂着雙目一如精美象牙雕像，他握着她手在嘴邊輕吻，無比深情。

他比周宗亮老起碼十歲。

周宗亮握緊雙拳，痛苦地把恨意壓下，現在他知道，人為什麼會殺人。

這是污辱仇恨。

他臉上血液全湧到脖子。

「還需要追查否？」

周宗亮隔很久才點頭。

陳禾輕悄離開他辦公室。

關上門，陳禾才嘆口氣，表面上這樣一對璧人，內裏各有發展，互不信任。

這叫人對婚姻徹底失望看淡。

周宗亮心裏想，原來是內疚，昨夜妻子想與他親熱，是良心責備：小狗可憐，無故背叛踢打你，讓我盡量作出補償——

宗亮霍一聲取過外套離開辦公室。

他到素西理髮店。

素西看見他迎出。

「我沒有預約。」

「不相干，今天可以為你做什麼？」

宗亮答：「剪一個Mohawk。」

呵，聰明漂亮的素西想：在什麼地方受了委屈，雙腮鼓鼓，鼻尖紅紅，誰敢讓那樣優秀男子受氣？

「頭髮不夠長做中間那撮箭毛。」

「那麼，剃光。」

素西憐愛地說：「我替你洗一洗，吹一吹。」

她幫他打扮妥當，蹲下檢視髮腳，他忽然轉過頭，與她的臉距離才三兩吋，她一愣，鼻端是男子獨有氣息。

一剎那宗亮連忙迴避。

素西緩緩站起，兩隻手指轉動鋒利小髮剪，「周先生，我雖從不與已婚男子約會，但你可有空喝咖啡？」

宗亮聽到那樣矛盾言語，不禁笑出聲。

「好啦，笑了。」

回到家，他錯愕看到美洲一身大粧打扮停當在等他，滿臉怒意。

「你去了何處，又從來不帶手電。」

紀美洲覺得她還有資格對他發脾氣。

「趕着去何處？」

「我爸、媽鑽婚！」

這倒是大事，「你從未知會我。」

「半年前我已與你商量該送什麼禮物，今午我致電你寫字樓，秘書還說記事冊上清楚註明，可是你人不知所終。」

是他的錯。

「我得先走一步，你切記跟着來，」美洲諷刺地說：「對了，這是宴會地址，還有，把頭髮梳好。」

她忽忽外出。

女傭提着他的禮服過來，「太太着你穿這一套。」

仍將他當三歲孩兒把弄。

宗亮走到更衣室，換上新置禮服，全黑，黑衣黑褲黑襯衫黑領花。

他到達現場大部份客人已經在場。

宗亮看到亞美兩洲圍着父母正笑着聊天。

最奇是王青雲一身禮服也在身邊，由此可知紀父紀母做人成功。

他們一眼看到周宗亮。

全場女賓目光也往他看過去。

亞洲迎上，把手臂伸進他手臂，「今晚才五十多個人客，吃自助菜，一邊中

一邊西，即將開始，全場供應唐氏香檳。」

「青雲來了。」

「特地自倫敦回轉，女友在酒店等他，他只可以逗留三十分鐘。」

「美洲身邊那洋漢是誰？」

「一個銀行界朋友吧。」

宗亮打量那人，那人也端詳他。

他就是麥辛，宗亮自照片認出他，真人比較不顯老，可是，頭髮已經灰白。

美洲好膽色，把他帶到親友聚會，周宗亮雙手微微顫抖。

美洲介紹：「這位是——」

宗亮接上：「皇銀的麥辛先生。」

美洲一怔，不出聲。

宗亮並沒有握手的意思，冷冷與王青雲交談。

那麥辛老奸巨猾，不動聲色，他初結識美洲，完全不明有什麼丈夫會得冷落

如此嬌美妻子，今日見到周氏，他又愕然，美洲怎麼放棄這樣英軒丈夫，這明明是一對璧人，天造地設。

周宗亮冷眼打量這英國人，心中苦笑，難怪，紀美洲一路十多年都想把丈夫打造成麥辛那樣：斯文有禮，每個動作都似經過舞台排練，永不出錯，如今她苦心白費，突然醒悟，最好是挑個現成機械人。

麥辛用他灰色眼珠端詳周宗亮，他也有頓悟，儘管與美洲歲數相若，不知怎地，長長凌亂頭髮的他看上去年輕得多，身穿時髦窄身圓角西服，窄褲，全身輪廓分明，濃眉大眼，與美洲像姐弟。

不是說美洲老，而是她實在太講究配套工整全美，所以顯得老氣與人工化。

她與他在一起，不自然不配對，各有各美。

麥辛在心底吁氣，這就是華人說的嘆人間美中不足今方信。

他總算明了這一對璧人貌合神離的原因。

宗亮與岳父母招呼過，陪王青雲聊幾句。

「近日可好？」

「託賴，很自由很舒服。」

「沒想到你與亞洲還是朋友。」

「是嗎，我們沒說半句話，我是來祝賀老人家。」

「你女友在酒店等候？」

「沒有的事，如今女孩多聰明，誰會陪男人乘長途飛機探親，三兩程就老了，喂，你呢？」

「看到那老洋男否，那是美洲的情人。」

「你說笑！」

「哪個男人會拿這種事笑謔。」

「這……從何說起？」

宗亮維持緘默，他也不知怎麼說。

「你搬出沒有？」

「今晚回去收拾。」

「如有需要，我一定幫忙。」

宗亮苦笑。

他與王青雲到岳父母面前，說幾句便早退。

紀母訝異，「你也有事宗亮？」

「我送青雲往飛機場。」

青雲在會所門口說：「英航來，德航去，像隻飄零燕。」

「你省省吧。」

他並沒送王到飛機場。

獨自回到家，他致電秘書，人家正吃晚飯，他再三致歉：「急事找你，不好意思，我想找地方寬敞點約千餘平方呎服務公寓，還有，明午請派兩三名職員幫我搬書房到新居。」

秘書一聽，即知事態嚴重，「明白。」

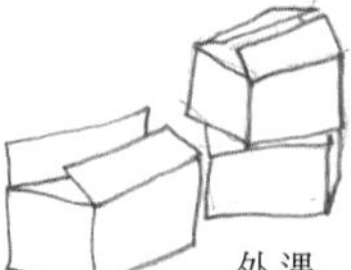

「拜託。」

宗亮把書籍雜物裝箱，將電腦插頭收起，忙得滿頭大汗。

他淋浴後換上棉線衫，這時一臉倦容的美洲回來，一進門脫掉細跟尖頭鞋，看到丈夫，以不置信目光瞪着他。

只見周宗亮披頭散髮，一臉鬍子，像搖滾樂隊主音，T恤上有大大歌德英文字體XXL，起初美洲不知是什麼意思，忽然會意，更加怒氣上湧。

她劈頭問：「你到底想怎樣？」

半晌，宗亮答：「我明天搬走，今夜如果你不高興，我可以住酒店。」

美洲愣在當地，半晌，她才脫下外套，幾度張嘴，像是有話要說，可是又閉上嘴，因不知從何說起。

宗亮也無話。

他關了書房門，繼續收拾。

屋子像冰窖一般，寒氣沖天。

宗亮吃不消，裹着毯子在沙發上睡最後一宵。

說來可笑，周宅根本不是周宅，原是美洲嫁粧，一住十多年，美洲一向給他面子，口口聲聲「我們周家」怎樣怎樣。

第二天一早，他起來更衣上班，發覺美洲在早餐廳等他。

他先開口：「你有話儘管說。」

美洲卸了粧，臉色灰樸：鼻端、額前，都有斧鑿痕，宗亮低頭，真難過，明明是一顆珍珠，瞬息變為魚眼睛。

而他呢，更加不堪，腹肌胸肌已不復再見，好幾次亞洲取笑說：「青雲胖得可戴胸罩」，他舉手，「我也是。」

而且行動鬼祟，聘請偵探調查妻子，性格變得喜怒無常，陰晴不定，像更年期已屆。

美洲終於說：「我怕母親傷心，不如我搬出住。」

「你行李比我多，不方便。」

「宗亮，我與麥辛之間——」

「不必解釋，大家已心變，很可能我們漸漸不再生活在同一平面上，也沒有同時長成。」

說畢才發覺那實是肉麻的文藝腔，美洲可能聽不明白，他自己也覺詞不達意。

他在美洲落淚之前站起，出門。

公司同事辦事能力超級，幾個小時內把他書房搬到一間月租酒店式公寓。

這一次，同事們維持緘默，連背後議論也不敢，並且猜想周氏如果辭職，公司人事一定聯帶大起變化。

那天下午，紀太太出現。

宗亮連忙迎出，紀媽一見他，淚流滿面。

宗亮自覺罪過，急把紀媽擁入懷內，走進辦公室關門。

「宗亮——」

宗亮忙說：「沒事，沒事。」

紀媽得到安撫，反而失聲痛哭。

宗亮讓她坐下，叫秘書：「一杯去糖熱可樂加檸檬。快。」

秘書連忙答應着走出。

茶水間同事都低頭做自己的事，幸虧秘書人敏手快，一下子做好飲料，送進給上司。

宗亮低聲說：「媽，輕輕喝一口。」

紀媽一生都工整粧扮化粧的臉糊掉，她喝兩口熱可樂，緩緩定下神。

「宗亮，先是青雲，後是你，我還怎麼做媽媽。」

美洲這麼急不及待，向家人公佈夫妻分手之事，可見無意挽回。

當然，宗亮也不想救亡，可是，美洲那般無情，叫他心寒。

「媽，」他低聲解釋：「美洲不要我了，她另外有親密男朋友。」

「那外國人麥辛可是，亞洲此刻的男友也是洋人，宗亮，她們結交的全是外

國人，為什麼。」

宗亮啼笑皆非，這叫他怎樣回答。

「宗亮，你看事情還能否挽回？」

宗亮搖頭。

「宗亮，你們之間，美洲已與我說清楚，她說，已經有十年以上……」紀媽態度有點奇怪，「你可有看醫生？如今專科醫生十分能幹，據說又可以矯形……」

周宗亮莫名其妙，一臉疑惑。

「宗亮，你這樣下去不是辦法，不可諱疾忌醫。」

周宗亮在紀媽臉上尋找蛛絲馬跡，「媽，我沒有病。」

紀媽握住他的手，「心理醫生或許也可幫到你。」

「美洲對你說過什麼？」

「我是一個開明媽媽，有什麼話不能對我講，美洲說，逼不得已才離開你，

因為你不能人道。」

周宗亮一聽，跳起，「她說什麼？」

「你多年未能履行做丈夫責任，宗亮，男女平等呵，妻子不願啞忍——」

「我？」周宗亮指着鼻子。

「答應我去看醫生可好。」

周宗亮嗆咳起來，他幾乎沒給氣死，紀美洲也太詼諧了，竟找出這種分手藉口，這簡直是含血噴人，最尷尬的是坐在他對面的是岳母，他臉皮再厚，態度再大方，也不能作詳盡解釋。

六月雪。

含怨莫白。

可是，周宗亮不是無知衝動小青年，瞬息之間，他化解怒氣；忽然之間，覺得可笑，忍不住咧開嘴。呵，好男不與女鬥，無論如何，紀美洲是紐子的母親，十月懷胎，痛苦生育，所以，凡是女人不高興，都是男人的錯。

他開導自己，「是，紀媽，我會看醫生。」

紀媽站起，「和解，宗亮——」

這時紀父敲門進來，見到老妻，頓足，「你來幹什麼？成事不足，敗事有餘。」

他把紀媽推到一邊。

老人家對女婿發言，「宗亮，公私有別，我已着史律師把公司百分之二十撥你名下，希望你好好工作。」

這是什麼，贍養費？

「我不能接受。」

「宗亮。」老人家氣餒。

「我與史律師商議，爸，你先陪媽回家休息。」

兩位長輩總算走了。

周宗亮緩緩吁出一口氣。

結婚時已知不止兩個人，現在才發覺，一桌都坐不下。

他離開辦公室到健身室，張教練立刻着手叫他上跑步機。

他在皮帶上不住跑，像後有追兵，落荒而逃那樣，不久便全身出汗，心底冤氣毒素似完全排洩。

竟誣衊他是性無能！不消三天，全城都會知道這件事。

張教練算準十五分鐘，「到這邊舉重。」

宗亮躺下舉重，用力之際忽然看到小塊腹肌似老鼠般竄動，十分有趣。

教練也高興，「看到沒有，不過短短日子，已經見功。」

自健身室出來，宗亮到心理醫生處，一見那張絲絨沙發，他臉朝下，咚一聲撲下，這時，他才覺傷心，他知道真男人不哭泣，但眼淚再也忍不住，炙熱自眼角流出。

醫生開門進來：「周先生，你預約時間在明日。」

他嗚咽一下。

「不過我現在有空，你不妨留下。」

宗亮用袖子擦乾眼淚，緩緩轉過身子。

剛健身完畢的他一身汗，在途中吹乾一半，還剩一半，一陣汗臊，在診室隔濾過新鮮空氣特別刺鼻，米醫生一怔。

宗亮看到醫生也意外，嘩，這麼漂亮女子苦苦讀醫少有。

他連忙穿上外套。

「你不必拘束，有話儘管說。」聲音可靠動聽。

宗亮像幼兒找到哭訴對象：「我妻與我已經分手，我吃虧到不行。」那是一定的事，人人都覺自身最慘最純最倒楣。

醫生不出聲。

宗亮豁出去，「她對父母說，我是性無能，所以要求離婚，實際，醫生，假使你是男子，我可以立刻證明，事實是，她一早有男友，那人一看就知是個披着羊皮的狼，西人十五歲開始交際，到了五十歲，已經成精，我妻卻看中那種

人。」

一口氣說那麼多，彷彿舒服不少。

這時宗亮鼻端聞到淡淡奇異幽香，是醫生身上香水？呵，不，這才看到茶几上一大隻水晶玻璃盆上放着幾顆明黃色熟透佛手果，那香氣從該處傳來。

宗亮吁出一口氣。

醫生一聲不響，靜靜聆聽他講話。

宗亮像在說意識流故事：無頭無尾無時間空間情節對白，自言自語卻奢望聽故事的人明白及欣賞。

他忽然說：「鏡中花水裏月，我們華人有個故事叫鏡花緣，即是朝露幻影，多麼淒涼。」

女醫生凝視躺在沙發上的病人。

這是她所見過最漂亮的男子之一，誰會叫他委屈？

可見人人心底都有說不出的難處。

只聽幾句，米醫生覺得周太太不但聰敏精明，而且自丈夫一開始冷淡就部署今日分手步驟，為博得親友同情，不惜製造丈夫難以分辯的缺憾。

米醫生微笑，夫妻間矛盾是天底下最複雜的事，她不方便發表意見。

周宗亮攤攤手，「兒子已經十五歲，在外地非常享受寄宿生活，並不想家，他唯一責任是科科及格，管吃管睡，回來接管外公的證券公司。」

醫生忽然問：「孩子長得可漂亮？」

宗亮取出小照片。

醫生一看，不覺微笑，少男長得與他父親一模一樣出色，兩人都不愛剃鬚。

「已經決定離婚。」

那也是很普通的事。

「生命中寶貴十多年，就此浪擲，嘿！」

醫生忽然問：「你有女朋友否？」

「有欠時間心情。」

醫生有懷疑，「你如何解決需要？」

周宗亮賭氣：「一三五左手，二四六右手。」

醫生強忍着笑，真想走出門外，暢快嘻哈。

「時間到了。」

沒有回應。

走近一看，病人在佛手清香中已經盹着扯起輕微鼻鼾，唉，男人。

此人這樣渴睡，肯定在家沒睡好。

助手奇問：「醫生——」

「隨他去。」

宗亮又睡到醫務所關門。

在停車場他看到米醫生。

米醫生原來如此嬌小，只到他耳邊，而醫生卻沒想到這位周先生那麼高大。

宗亮輕輕點頭，上車駛走，走出診所，無話可說。

第二天他到車行選新車。

車行經紀笑臉相迎，「周先生，可以為你做什麼。」

宗亮走近一輛外形兇悍的跑車邊，「這是新鷗翼？」

「周先生，這是新肩翼，」他把車門打開示範，「方便停車下車。」

宗亮點點頭。

「周太太昨天才訂了一架，她不喜銀色紅椅，訂了架全白，賢伉儷品味相同。」

真沒想到美洲已開始慶祝。

他輕輕說：「那麼我要這輛好了。」

經紀覺得交上好運，一連兩單生意，忙不迭答應：「是是，我馬上處理文件。」

半小時後宗亮開着新跑車回公寓。

私家偵探陳禾電話上來，「方便探訪嗎？」

「我地址是——」

「已經知道。」

當然，她是偵探。

宗亮先淋浴更衣。

稍後門鈴響起，宗亮開門，大眼睛偵探緩緩走進。

她打量過公寓，不出聲，坐下。

「喝什麼？」

「不用客氣，我來匯報十分鐘。」

近日與他打交道的幾個女子都嬌小玲瓏，聰明能幹，而且沉默寡言，實在優秀。

他給她做一杯冰咖啡，加入一匙拔蘭地。

「你已搬出來，我得悉周太太今早單方面申請離婚，等你簽署。」

「什麼理由，丈夫不能人道？」

陳偵探一怔，「『不可冰釋的誤會』。」

呵，那倒還好。

「她也沒打算住在原址，託經紀放租。」

宗亮想：紐子回來，都不知何處是家。

「她將搬到梅麗笙道複式單位，她住樓上，樓下裝修給兒子周鈕同住。」

陳偵探的消息真靈光。

「她有什麼要求？」

「只求分手。」

那也好，讓她甩難解脫好了。

「這是最新拍攝所得。」

只見照片裏麥氏與美洲並肩站着在一個宴會裏應酬，他的手護着她腰身，卻沒有碰到她肌膚，離開數吋，分明怕人碰撞到她，如此細心，可見有點真心。

宗亮表情漸漸緩和。

陳禾處理過許多男女分手個案，通常覺得男與女都有點猥瑣，這次例外。

這對夫婦不知有何難言之隱，女方優雅文靜，周氏也忍耐穩重。

陳見過有人看過照片立刻攜刀出門要殺對方，也有人大罵四方驚動親友要求取得全部家產。

「還要繼續跟否。」

宗亮點頭。

「他方已停止行動。」

「這個麥辛，他富有？」

「他是一名子爵，但是拒用家屬銜頭，自立門戶，結過兩次婚，均無所出，長袖善舞，頗有資產，他有文化修養，寫過幾本有關投資的暢銷書，最近一本叫『為什麼與中國做朋友』，頗受注目。」

宗亮無言。

「他是一個中國通，廿年前已經說得流利普通話，在劍橋大學聖三一學院修

讀語言學，隨後又在倫敦經濟學校讀財經管理。」

「什麼年紀，七十歲？」

「四十九。」

長得那麼老相。

陳偵探喝完那杯冰咖啡，「我已匯報完畢。」

「勞駕。」

他送她出門。

宗亮忽然說：「你個子這樣小巧，做偵探工作，難道不怕。」

「我五歲起習詠春拳，並且，我有攜槍執照。」

「失敬。」

她們都那樣能幹，相形之下，周宗亮活脫一團飯。

他仍然在原處辦公，同事們漸漸平靜下來，如常作息，與往日沒有異樣。

周宗亮十分有恆心往健身室，一個人的時間用在何處是看得見的，他的胸圍

增加兩吋，腰圍減卻三吋，精神比從前振作。

女同事群最先注意到。

——「他此刻獨身，誰有勇氣追求？」

「我自問沒有資格。」

「為什麼不試一試，也許有機會，不試，等於零。」

「各位姐妹，我是這裏足十年老臣子，一向以來，周宗亮在公司目不斜視，十二分尊重女同事，這是成功人士江湖守則，叫做兔子不吃窩邊草。」

「他沒有女朋友？」

「這我不知道，事實上，好同事難求，女朋友要多少有多少。」

「他會單身多久？」

議論紛紛，周宗亮都置之不理。

一日，他剃了平頭上班，叫秘書驚嘆他似英偉足球明星。

他每日工作到深夜，倦了，在會客室長沙發上休息一會，又再起來，清晨在

公司換過乾淨襯衫洗把臉，立刻見客，一人勝三人。

在心理醫生面前，他說話漸多，也較為流利。

「……最快活是蜜月期間，我們好像住在夏威夷大島一間旅舍，足不出戶三天三夜，每朝睜開眼，都不信我有那麼好運娶到她，旅館管理人員取笑我倆：『終於出來，可以打掃房間了』，唉，還說這些幹什麼，我口氣如阿伯。」

米醫生靜靜聆聽，從不加插意見。

宗亮轉個身，「紐子一直到六七歲，她仍時時抱住，幼稚園老師斥責：『這麼大了，不准再抱』，可是在家仍然坐在媽媽膝頭一起吃飯，小小親吻，我在她腦海消失，把手搭在她肩時，她會滑開，我也有自尊，賭氣睡到書房，冰凍三尺。」

女醫生在手提電腦上做記錄。

「其實不止是那樣吧，小器吃醋不過是藉口，妻不知如何產後染上潔癖，時時督促傭人清潔廚廁，床單每日更換，全屋不要看到玩具，她把雙手洗了又洗，

直至紅腫，怪習慣延伸，生活細節一絲不苟：喝水用何種杯子，紅酒白酒香檳，不能拿錯⋯⋯這是為什麼，四十之前我陪着她順着她意思，四十過後，我漸漸看開，不願跟隨，不過，這也是藉口。」

米醫生惻然，紕漏在哪裏，周宗亮統統知道，他根本不需要心理醫生。

「真正理由是，我倆已不再相愛，there！」

醫生「嗯」一地一聲。

「愛念從何而來，又往何處去，真叫人奇怪，科學研究說是內分泌作祟，可是，當初，又是什麼刺激內分泌催生愛念？」

米醫生苦笑。

「我又讀過一份報告，說雌性動物，交配懷孕生育之後，往往對配偶失去興趣，會得另覓新伴，因此後代可獲另一套因子，能夠在環境變遷時生存。」

米醫生極少出聲。

「時間到了吧。」

宗亮用手抹抹臉，吁出一口氣。

醫生說：「沒問題。」

「你這裏真舒服。」

醫生微笑，她從未見過如此感性的生意人。

他站起，「下次見。」

宗亮蹓躂到紅牛喝一杯。

他看到漂亮老闆娘珍珠正在大口吃三文治，那份麵包不知以何作餡，甜香撲鼻，他不由得趨向前。

老闆娘瞅瞅眼，「來，咬一口。」

宗亮咬上一大口，他的味蕾告訴他，那是杏仁醬上夾着半熟鮪魚腩，嘩，美味，麵包上還掃着融化牛油。

「每口一千三百加路里。」珍珠笑嘻嘻。

「值得。」

她溫柔地說：「什麼事來看我們？」

「想念。」

「你也會甜言蜜語。」

「我不會說：『疼嗎，你本為天使自天上摔到地下疼嗎』這種無聊話。」

「聽的人挺受用。」

宗亮自珍珠手中一口口把三文治吃光。

全身細胞，最先復活的原來是味蕾。

珍珠說：「再喝一小杯未經高溫處理的羊奶。」

嗯，又香又羶，宗亮喝完忍不住舔舌頭。

珍珠看着他，漂亮的人做什麼都好看，她說：「可惜像你這種人永遠不會離婚。」

「我已經分居。」

珍珠大圓眼睛發亮，「我可以到府上喝咖啡否？」

「嘿，當然不可以，紅牛是至珍貴的一口井，我唯一歇腳處，你是我最難能可貴的女性朋友，我不想改變可遇不可求的友誼關係。」

珍珠輕聲答：「即是說，你不覺我可愛得要跳到我身上來。」

宗亮聳聳肩，放下一張鈔票。

「紅牛的鄰居是藍鐘夜總會，過去兩步就是。」

他知道那地方，不禁說出心中話：「男女喜歡看脫衣舞都不算稀奇，可是百多人擠一起看，有什麼意思？那麼私人綺膩香艷的一件事，怎可共享？」

珍珠大笑，「票價分攤，便宜得多呀。」

可是情調蕩然無存。

傍晚到健身所，教練痛斥他亂吃高脂食物，捱罵之後，他舒服得多。

以後日子，恐怕就這麼過了：從女教練身邊轉到女醫生身邊……

美洲不同，她也許很快成為子爵夫人。

什麼叫子爵？宗亮查一下互聯網，原來那是皇妹之子，皇上的外甥，見舅如

見娘，屬於近親。可是，因為公主嫁平民，駙馬麥辛先生十分有個性，不願沾光，故棄銜頭不用。

正覺空洞，門鈴與電話鈴忽然驟響：「周先生，在家嗎？」是他秘書的聲音。

他打開門，秘書拿着手機，看見他，馬上關掉，「謝謝天，總算找到你。」

「什麼事？」

「紀父進急症室，他心臟病發作。」

周宗亮張大嘴喘息，呵天有不測風雲。

「快跟我走，大家找了你好幾個小時，已通知周鈕趕回。」

「銀包，車匙——」

「唉唷，周宗亮，快，快。」

樓下司機與車子等着，飛馳到慈恩醫院。

只見美洲一個人孤苦地站在候診室，一見宗亮，即時迎上，她臉色蒼白，衣冠不整，外套與長褲不配對，可見心神十分慌亂。

宗亮握住她手。

夫妻倆不知多久沒肌膚相觸，但這下子宗亮不是以丈夫身份，而是以親人出現。

美洲低聲說：「他在書房，許久不出來，傭人探視，發覺他伏在桌上，立刻召救傷車送進來，亞洲在家等媽媽更衣，只得我在這裏，幸虧公司職員趕到幫忙。」

「爸此刻在何處？」

「正救治中，要做三通手術，他並不胖，年年做體檢，忽然血管栓塞，醫生甚覺意外。」

講完這番話，美洲已經累得氣不上頭，坐倒長櫈子上。

幸虧機靈能幹的秘書已經捧着熱可可與咖啡過來，小小翼翼捧着杯子，讓美洲喝兩口。

又把另一杯宗亮喝慣的黑咖啡遞給他。

「真勞駕你了——」一時想不起秘書的名字。

「不要客氣，周先生，我叫陶樂妃。」

「多謝你奔波。」

「周先生，」陶樂妃忽然微笑，「加薪即可。」

「一定。」

沒想到那聰明女打蛇隨棍上，「多少？」

「你升做我私人助理吧。」

「滿意，我即交代人事部。」

這件事有喜劇效果，是，紀父雖然躺醫院裏，但地球一樣轉動，太陽照樣升起。

而紀美洲，因再也顧不到儀態，比任何時候都像真人。

這時一個看護忽然奔出，「可有一個周宗亮？病人要見周宗亮。」

宗亮連忙迎上，「我是周宗亮。」

美洲急忙說：「我是病人女兒。」

「他指明只見周宗亮一人。」

宗亮與美洲同樣突兀。

秘書連忙說：「我在這裏陪着周太太。」

宗亮忽忽隨看護進入病房。

緊急救治病房燈光再亮亦陰沉可怕，像是鬼門關前最後一站。

宗亮穿上白袍蹲到紀父面前。

老人的面皮掛左右兩邊，雙目深凹，他戴着氧氣罩，示意看護摘開。

醫生說：「一分鐘。」

老人沙聲微弱：「宗亮，替我照顧一個人。」

這時宗亮已把耳朵貼近紀父嘴邊，他內疚，一定是叫他善待美洲。

但是紀父卻說：「她叫歐洲，宗亮，我只相信你一人，看着她，史律師會告訴你——」

醫生說：「病人要做心管手術，你先出去。」

把周宗亮趕出。

宗亮驚駭，這還是他第一次聽到歐洲這個名字，她是什麼人，紀父為何向他託孤，又怎會一字不提亞洲美洲？

他胸中塞着一團灰色疑霧，出來看到亞洲扶着紀媽，史律師也到了。

紀媽面如土色，雙手擅抖。

美洲輕聲問宗亮：「爸同你說什麼？」

「着我照顧婦孺。」

「周鈕已在途中。」

這種事一定會發生，遲早必然有一次，接着兩次。據說，第一次最慘，像是身體一部份隨着老人而逝，永不復活，從此變成一個傷殘者。第二次，則學會節哀順變，但一顆心已死，再高興的事，也笑不出來。

亞洲嗚咽着對宗亮說：「我腰間疼像被人插了一把刀。」

宗亮緊緊摟着大姨，「噓，噓，別嚇着媽媽。」

醫生出來說一番話，如此這般，風險若干，不甚樂觀，但是——

眾人如踏在浮雲上。

那是一個八小時大手術。

紀父推出手術室，各人鬆口氣。

稍後周鈕先趕到。

沒想到的是王青雲也不甘後人挺義氣，忽忽回來。

宗亮大力拍他肩膀。王青雲一言不發摟住紀媽及亞洲。

他倆出現叫女眷略為振作。

周鈕衝進見外公。

他說：「他半甦醒認得我，沒有言語，但握緊我手。」

盡了責任。

醫生又出來如此這般：「手術成功，但病人未過危險期，紀太太不妨先回去

休息……」

據說再英勇的醫生及警員都最怕向親屬交代。

眾人隔着玻璃觀察紀父，他不像有痛苦，但也不像平時那頭髮與皮鞋同樣光亮的老紳士。

這時亞洲與美洲忽然急痛攻心，不顧老母在場，相擁哭泣。

史律師是外人，見慣場面，他鎮定地走近宗亮：「撥冗到我處來一趟。」

宗亮點頭。

一家人筋疲力盡，輪流回家梳洗飲食。

大伙集中在紀母處。

王青雲看牢周鈕：「這麼高大英軒，與你父一個印子。」

周鈕只是陪笑。

「有女朋友沒有？」

「問他功課，」周宗亮說：「長輩需有樣子。」

「那有什麼好問，無論讀何科何目，一定是回到證券公司工作，紐子，切莫浪費青春。」

周鈕說：「我上去陪外婆。」

兩姐妹不願回家，在醫院等候消息。

王青雲說：「這個時候，真想有子嗣。」

宗亮低聲說：「勞心勞力，十分辛苦。」

「可是在世上留下本人的因子，那才重要，生父的全數遺傳密碼都會派司到兒子身上。」

「生長環境不同，會影響後天性格。」

不久他倆歪在長沙發上盹着。

紐子推醒他時已經天亮，周宗亮立刻知道不是好消息。

一家趕回醫院，醫生顯然也一夜不寐，他這樣說：「已用最新儀器設備將血管栓塞處血液凝塊吸出，但病人仍然昏迷，情況不樂觀。」

就差一句「你們來見他最後一面吧」。

下午，史律師也在場，沉默無言。

這樣，又再過一日，醫生宣佈紀父已經去到另外一個世界。

周宗亮是最後一個與他說話的人。

後事處理得快速妥當。

紀父不過是小生意人，但人緣奇佳，他那一生，只管幫人，從不害人，社會到底有公論，對好人辭世，依依不捨，禮堂上人頭湧湧。

周宗亮父子與王青雲站着整天，三個高大英俊男子一齊穿着黑西服黑領帶，看上去整齊美觀，女眷默哀尊重，靜坐一邊。

事後王青雲最先回返老家。

美洲隨周鈕去倫敦散心，把姐姐與母親也帶一起。隨身還有兩名傭人。

宗亮落單了。

送飛機時，他不住撫摸兒子頭髮，把他當三五歲看待。

紐子一字不提父母分手事，真懂事。

回到公司，新助手陶樂妃迎上，知會他有三千公事待辦，這個小小女諸葛日理萬機越做越興奮，精力無窮，早該升職。

幸虧周宗亮亦手揮目送，一下子把工夫趕出一半。

他忽然問：「歐羅如何？」

「吊鹽水，有專家說，幾年之內將予取消。」

「這時不得不佩服英人老奸巨猾，當年只說不願放棄設計精美的英鎊鈔票，說什麼都不加入歐羅成員國，今日大家恍然大悟。」

陶樂妃接下去：「歐元在眾國之間拉拉扯扯，縛手縛腳。」

「為省匯率……」

「十五世紀意大利文藝復興功臣麥迪奇家族與十八世紀德國猶太裔羅思齊銀行家族都靠賺匯率發達，這筆開銷一定要出數，不可因小失大。」

誰說不是。

「你的健身所及心理醫生約會都暫時取消。」

稍後，史律師造訪。

「宗亮，你我有話要說。」

「對不起我忙得發昏。」

「難不倒你啊。」

宗亮笑，「真是，我們是奸商，客人無論賺蝕，都少不了我們佣金。」

「閒話我不說了，宗亮，紀老生前可有向你提過歐洲這個人？」

才在講歐元。

「這歐洲是誰？」

「你說呢？」

周宗亮曾為這個名字思慮多次，心中略有數目，只是不好講出口。

辦公室氣氛忽然凝重。

「紀老在我們這樣年紀的時候，曾有外遇，紀歐洲是他非婚生女。」

宗亮震撼，果然！

男人中年危機之際最易發生這類事。

「我今日才知道，史律師你一直知情？紀媽呢，她可心中有數？」

史律師逐一回答：「我一直負責支付她們母女生活費用，至於紀太太，她是明白人。」

「她強忍？」

「宗亮，她是老式婦女，對婚姻，除出守，沒別的路。」

真沒想到紀老這親友口裏好人中好人，竟如此刻毒賢妻。

「心裏石頭壓久，漸漸習慣。」

「照說，這歐洲女已是成年人。」

「不錯，她今年廿一，十二歲那年，生母再嫁，把她放在學校寄宿，別誤會，她們母女感情不錯，假期歐洲時時往首爾探母。」

「首爾？」

「該名女子是華韓混血兒，長得非常漂亮。」

「歐洲呢？」

「明媚動人。」

「亞洲與美洲亦是著名美女。」

「不知怎地，韓女獨有嫵媚在亞裔女中偏偏不同。」

「你與她們母女相熟，何為不託你繼續照顧。」

「宗亮，我是按時收費的律師，我當然盡忠職守，但私事我無發言權，像歐洲十八歲時與已婚大學講師鬧戀愛，我就不能出面，要紀老出頭。」

——追求講師教授……

「阿史，我是紀家姻親，不是血親，我已與美洲分手，我與紀家以後一點關係也無——」

史律師忽然發作，「你這忘恩負義的渾人，你是紀老外孫之父，紀老待你恩重如山，」，「若非紀老提攜，你此刻恐怕還在交易所揹着牌子喊股價。」

宗亮氣結。

史律師亦知造次，「對不起，宗亮，我下次再來。」

「坐下。」

「宗亮，這女孩實在是紀老心頭一塊肉。」

「我以什麼身份出現？」

「監護人。」

「阿史，她已廿一歲。亞美兩姐妹知道這個女孩嗎？」

「她們不知。」

「遺產怎麼分？」

「紀老生前已經全部安排妥當，各人早已分得產份，至於公司股份，百分之二十屬於閣下，正式由你主管，周鈕廿一歲以後，另有職位。」

「家人沒有異議？」

「紀老有福氣，他說了是，無人抗議，紀太太對名利並無興趣，她娘家極之

富有。」

是，紀老有福，無人爭產。

「我安排你見一見紀歐洲。」

「我先想想。」

「凡事都躊躇，宗亮，你這一生：給你快樂好否？我想想，你要不要艷福？我要想想……」

艷福？

「我還有事。」

「阿史，可有照片？」

史律師扔下一隻文件篋，忽忽離去。

宗亮百忙中打開文件，他看到的不是生活照片，而是幼兒班、一年級至十二年的畢業照。

一個小小五六歲大眼圓臉的長髮女孩，一路長大，漸漸變成尖下巴漂亮少

女，那雙眼睛，狹長晶亮，像會說話似，她想說些什麼，爸爸你可愛我？

中學畢業，頭髮剪短，最後一張註明是「歐洲商管科畢業照」，戴方帽。

她穿着一般白襯衫及一件深色翻領外套，眉目間有三分像美洲般秀美，但是眼神活潑，嘴角含笑，讓人忍不住想親近她。

那套照片十分可愛，家長用心，子女才有一式那般學生照，宗亮希望他也有。

當然，平面照片作不得準，不少照片美女一開口嚇壞人。

還有動作粗鄙的可人兒：當眾顫膝剔牙上粉……

不知她是哪一種。

陶樂妃進來看到，「這是誰？」

「你較客觀，看看她可標致。」

陶樂妃取過幼兒班照片，「喲，好調皮，大眼閃閃。」

真好眼光。

「我的小姨歐洲。」

「咦，從未聽說過你有小姨。」

宗亮嘆口氣，「現在有了。」

陶樂妃多麼精靈，知道多問無益。

「健身室張師傅找你！說再沒有空，就不必再去。」

「我下班就到。」

他哪有下班時間，不得不抽出半小時。

張師傅臉色如納粹，按着他雙腿做坐起，二十下之後宗亮渾身痠得不能動彈，師傅生氣：「添多五下！」宗亮忽然在痛苦中得到快感，他淘氣地把雙腿蠕動一兩吋，「只能做到這樣。」

張師傅不由得嘆氣：「如此疲懶。」

他不忍叫她太過失望，勉強又做三下。

「反轉身，挺撐，三十次。」

他慘嚎。

男人都是賤骨頭?也許,一個人在家,怎會吃苦做運動,在漂亮si-fu面前,才不得不盡力而為。

回到家,渾身似散開一般。

但是,是晚,睡得特別好。

第二早,史律師出示一大疊文件着他簽署。

「看清楚細字,不要胡亂署名。」

宗亮忍不住問:「約到歐洲否?」

「她不想見你。」

宗亮不急反笑,「那多好,彼此彼此。」

「她需整頓情緒。」

「她一直住本市?隱藏得真好。」

「咫尺天涯。」

「她為什麼不出席追思禮拜?」

「她坐後排，不想打擾任何人，生父已經辭世，她認為坐前排或後排均無關重要。」

宗亮一怔，沒想到小小年紀如此豁達。

「她已得知紀老臨終最牽掛是她。」

「韓裔母親呢？」

「沒有出現，她更不願騷擾紀家上下情緒。」

「都那麼替另一頭家着想，紀老幸運，」宗亮又問：「少女可悲愴？」

「她一向比同齡女成熟，情緒上落，相當收斂，或許，你可以與她通電話電郵。」

「阿史，你知我也不是一個外向主動之人。」

事情就這樣耽擱下來。

大半月過去，周宗亮躲在心理醫生的絲絨沙發上，嗅着佛手或檸檬香氣，無話不說，苦水吐盡，紀歐洲這個女子，也已成為醫生熟悉人物。

「我沒有主動，我身份尷尬，我可以做什麼？我不過是一個前姐夫，當然，少女與我子有百分之廿五相同因子，她是他阿姨。」

醫生照例不說話。

「我同情少女，物質確是一絲不缺，據說姐姐有的，她全有，十八歲考得駕駛執照，問她要什麼車，她挑一輛電汽車，聽上去，很是可愛的樣子。」

醫生好像點點頭，她也駛一架混合車，為低碳生活出份綿力。

「老人要我怎樣照顧她？做戀愛顧問，財經分析？我都不能勝任，此刻家人統共離我而去，我一個人住公寓，寂寞到不堪。」

米醫生忍耐多月，終於問出口：「沒有女友？」

周宗亮一聽，即時炸起來：「誰要我？我已經四十老幾，離婚男人，打工仔，不解溫柔，誰會要我？我已走完一生感情道路，我沒有好好掌握機會，我已過時落伍，歡場沒有老男。」

醫生一怔，連忙用手搗住嘴，怕忍不住笑出聲來。

啊，沒想到壯男那樣看自己：如此自卑自怨，可憐，這次離婚打擊真不小，妻子有外遇，徹底摧毀他的自尊。

「誰不想要溫柔漂亮女伴？比常人稍微溫暖小手輕輕捧起我臉親吻，撫摸我鬍髭，膩聲稱讚我英俊……想有什麼用？」

他聲音裏盼望柔情是那樣逼切，聽得米醫生鼻子發酸。

剛在這時，助理敲門，在房門外說：「醫生，姑婆婆到了。」

周宗亮知道醫生有客，連忙說：「說到這裏為止。」

醫生先出去，他穿上外套，聽見一陣爽朗笑聲。

唷，世上還有樂事？

他張望，看到一張熟面孔。

是老作家米珍，飛機上偶遇一見如故的可敬婆婆。

「米女士。」他大聲歡喜地叫喚。

米女士轉過頭來，先是一怔，咦，面熟，好英俊的年輕人，可是打扮髮型完

全不同，她認得那憂鬱神情，「小周先生！」

「可不就是我！」

「人生何處不相逢。」哈哈笑。

宗亮與米女士擁抱。

米醫生傻了眼。

那從來不笑似世界欠了他的周宗亮，這時忽然把嘴角從左耳扯到右耳，露出一隻微暴的犬齒，眼角振出快活皺紋，呵，他是怎樣認得姑婆米珍？

只見姑婆熟不拘禮，伸出手去擰他雙頰，周宗亮不但不介意，還十分享受樣子。

米醫生心想，到了姑婆這種年紀也好，進化為中性人，什麼都可以做，包括伸手觸摸漂亮年輕男子的面孔。

接着，兩位女士不約而同地問：「你倆怎會認識？」不覺又笑。

宗亮摟住米女士，「今晚必定一起吃飯。」

「米手就是我要介紹你認識的女孩呀。」

「啊。」

「小手我們今晚一起歡聚。」

宗亮摸着頭，「同自己的心理醫生同桌，像與良心約會，並非樂事。」

米手只是笑。

「我回去更衣，」宗亮說：「六時好不好，約在何處？」

米手說：「舍下如何。」

宗亮意外，「你擅烹飪？」

女士笑，「會煮蛋，會做咖啡，還有，會調莫希多酒。」

米醫生忽然腼腆。

回到家，宗亮仍然嘴角含笑。

他沐浴剃鬚換上白襯衫，到花店選擇鮮花，看到白色玉簪，不勝歡喜。

許久沒有赴約，難得是沒有壓力，只有歡喜，他喜孜孜上門按鈴。

米手親自開門，穿便裝的她別有一番嫵媚，宗亮與米女士絮絮談寫作。

他說：「少年的我酷愛寫作，請問有何秘訣。」

米女士笑，「寫。」

「然後呢？」

「讀者天威莫測，靜候他們選擇。」

米醫生好奇，「周，你想寫何種體裁？」

宗亮不假思索：「愛情故事。」

「悲劇抑喜劇？」

「無悲亦無喜。」

米女士笑，「那又怎可算作愛情。」

這時廚子請他們入席。

宗亮說：「三份菜不好做。」

「我們不吃魚翅。」

「我贊成。」

米丰說：「我向朋友借來明星廚子，特請姑婆。」

宗亮高興，「我叨光。」

話還沒說完，一陣肉香，一看，是一碟油泡牡丹腰，哎呀，宗亮歡喜得跳起，十年沒吃這碟菜。

米女士說：「宗亮，這是特地為你做的，小丰知你愛吃這道菜。」

一定是躺在寶藍色絲絨沙發上不經意的傾訴。

「這牡丹實是海蜇頭，爽脆可口。」

宗亮索性把碟子移到面前，大快朵頤。

米醫生說：「一年吃一兩次不要緊。」

她體諒他。

宗亮鼻子都紅了。

美洲就毫無商量餘地，晚娘的玄壇臉，唉，美洲。

宗亮黯然。

快活時光飛快過去，捧着飯後咖啡的宗亮一看時間，已經十時多，米女士略顯倦容，宗亮識趣告辭。

「你們去看電影，去。」

米丰送宗亮到樓下，她笑說：「姑婆以為我倆十七歲。」

「你可希望回到十七歲？」

「絕不，我那些少年歲月糟糕之極，雙失，三失，說來話長。」

「謝謝晚餐，黃魚薺菜羹也可口甘香。」

米丰微笑。

「你家佈置得簡潔優雅。」

過一刻米丰忽然說：「你以後不會再到診所來了吧。」

呵這女子冰雪聰明。

宗亮輕輕答：「踩過界線，不再是醫生/患者關係，我不能暢所欲言。」

「你這人不易相處。」

「是，我不願走出，我有自閉症。」

「你全知道。」

「還有得醫否？」

「我不知道，但肯定治癒你的人不是醫生。」

「米丰，謝謝你。」

宗亮輕輕吻她手背。

他上車回家。

米醫生講得很清楚，心理病，靠自救，解開心頭死結，便可重新做人，站起來，向前走。

過兩日，他接到米丰電話。

「姑婆回家去了，乘今晨的飛機，叫我說再會。」

「為什麼不讓我送行？」

「她不想婆媽。」

米丰並沒有掛線，她似在期待什麼。

宗亮不是沒有經驗的男人，他當然知道她心意。他硬着心腸這樣說：「我們再聯絡吧。」

米丰終於輕輕擱下電話。

宗亮不是不喜歡米丰，只是喜歡得不夠，她沒有叫他雙耳發燙膝蓋放軟，心身蕩漾。

他如常做運動，練肌肉，已經減去十多磅，穿便服特別好看，時裝店女服務員鼓勵他添置那種臘腸牛仔褲。

他不再年輕，她也不是少女，不可能凡是偶遇的異性都交往一番，他怎敢浪費她的時間。

再說，她是他的心理醫生，他對她講了太多的心底話。

那是一個月黑風高的晚上。

宗亮與兒子通過話：「眾人好嗎，外婆精神可佳……」

「外婆都沒有笑過。」

亞洲搶過電話：「都成為女兒國。」她訴苦。

宗亮忍不住揶揄：「你們的外國人打玲沒有來撐場？」

「周宗亮，我赤手空拳就掐死你。」

都成為兄弟姐妹。

「有空來看我們。」

「交多些責任給紐子，教他做男人，擔抬工夫交給他，同他說：對女人要忍讓，好的食物，先給婦孺，對妻兒要負責。」

「宗亮我們都想念你。」

宗亮嘆氣，「我也是。」

「聽說你仍無女友。」

「聽誰說？我每晚都有不同女伴。」

「那些不是女友。」

過些時，宗亮掛上電話。

到了七八點鐘，忽然下起大雷雨，電光霍霍。傳說那是雷公的探照燈，尋找惡人劈死他，尤其應付不孝子，紐子幼時，宗亮把故事告訴他，可是紐子詫異地說：「爸，打雷是因為負電子與正電子相觸——」，叫宗亮覺得沒有味道。

他接到一通電話。

「宗亮，我是阿史，我在山頂警署，請你速來一趟，紀歐洲有事。」講完咚一聲丟下電話。

周宗亮大驚失色。

他腎上腺發揮急緊作用，立刻抓起車匙外套飛奔出家門。

想到紀父臨終遺言，着他照顧歐洲，他卻置之不理，掉以輕心，連那女孩面都沒見過。

好了，今日出紕漏了，人已在警署，史律師已趕去辦事。

宗亮飛車往警署，出了一身冷汗，頭都黑。

在車上他想問個究竟什麼事，可是阿史的電話不通。

他在大雨中奔進警署。

史律師朝他招手。

宗亮無奈地問：「闖禍胚在哪裏？」

史放下電話在他耳邊說：「不是歐洲犯事，她只是目擊證人。」

一聽這話，周宗亮吁出一大口氣，一顆心才納入胸膛，「人呢。」

「在那邊錄口供。」伸手一指。

宗亮目光朝那邊看去，不禁呆住。

他看到一個小丑。

一點不錯，黑白格子寬衣寬褲，大紅長嘴皮鞋。

他走近一步。

小丑頭上戴着白色粗毛線做的假髮辮，臉上搽滿白粉，大紅唇加紅假鼻。

小丑對面坐着一名女警官正在問話。

只聽得小丑低聲說：「……我自兒童醫院做完義務表演出來，走進停車場，大約七時三十分，天色全黑暴雨，我找到車子，剛上車想關門，忽然聽見女子厲聲呼叫救命，她喊：『救我，救我』，我一看，一個粗壯男子拖着一個女子頭髮與手臂，另一手高舉一把尖刀——啊！」

小丑驚恐用雙手掩臉。

女警連忙安慰：「紀小姐，慢慢講，不要怕。」

周宗亮聽得寒毛直豎，不禁坐到歐洲身邊。

警官揚聲：「閣下是什麼人？」

宗亮連忙答：「我是紀歐洲的姐夫，史律師叫我來。」

小丑這時抬頭看着他。

好一雙瑩亮的眼睛。

她隨即低頭，輕輕說下去：「我嚇壞了，人急生智，開亮車頭燈，找到銅

哨子，大力吹響，又狂按喇叭，幸虧，護衛員就在附近，飛速奔至，但，來不及了——」

宗亮聽得瞪大雙眼。

「——那人手起刀落，我看到鮮血，這時警察也趕到……」

「紀小姐，你做得很好，你是見義勇為的好市民，你一連串動作救了那女子，兇手不能再在她身上加多幾刀，警方不鼓勵市民冒險救人，但這次你做得真好，我代市民向你致謝。」

這時宗亮看到紀歐洲雙手顫抖，不，她全身在發抖，可憐。

宗亮連忙把外套脫下罩在她身上。

又去盛一杯清水，用手帕蘸水，替她抹去臉上白粧。

他先摘下她毛線假髮，呵原來真髮極短，柔軟貼在頭上，似個幼兒，他又除下她的小小紅球假鼻。

宗亮耐心抹去小丑化粧，漸漸露出真相。

連警官都愕然，原來小丑如此漂亮。

少女問：「那女子怎樣？」

「已在醫院急救，醫生說情況危殆，但無生命危險。」

大家都鬆口氣。

「兇徒呢？」

警官恨恨地說：「即時逮捕，從此他不能再害人。」

少女顫聲問：「為什麼要殺她？」

這時史律師走近，忽然厲聲說：「慎交男朋友！」

連警官一聽都忍不住笑出聲。

少女鼓起腮，氣得不說話。

宗亮則啼笑皆非。

半晌他說：「這史某倚老賣老，不好意思。」

「請在口供上簽字。」

史律師說：「宗亮，我還有事與警方商量，你先送歐洲回家。」

歐洲取起頭髮與假鼻，宗亮護着她走出警局。

仍下着大雨，電光霍霍，沒有停下的意思，低窪地帶一定已經浸水。

宗亮護着少女忽忽上車。

他自己一額汗，遭雨淋，不禁打噴嚏。

少女把住址告訴他。

此刻她看上去好不奇怪，眼睛鼻子嘴巴已無化粧，可是臉的四圈仍然白白，

不過，她仍不失秀麗。

宗亮說：「我是周宗亮，你的姐夫。」

「我是歐洲，家裏叫我扣子。」

扣子？宗亮張大嘴，他愛兒叫紐子。

「姐夫，這次勞駕你。」

「歐洲，我已與你姐姐分手。」

少女輕聲問：「你是亞姐抑或美姐的丈夫？」

「我曾娶美洲。」

「那麼我叫你大哥。」

「那是十分適當的稱呼。」

到了少女的家，原來是舊工廠改建的 Loft。

歐洲介紹，「原來是釀酒廠。」

「你一個人住？」

「大哥，我已廿一歲。」

打開門，宗亮驚艷。

只見偌大統間，只得一張大木枱，粗糙斑駁，分明由再生木料所製，配四張靠背椅，枱面堆滿書報電腦等雜物，照明用三盞參次不齊的舊水晶玻璃燈，若干纓絡已經掉落，但湊一起，卻說不出和諧美觀。

她招呼他坐。

「我去清洗一下。」

宗亮本應告辭，但第一他還不放心，第二想看看少女卸粧後真貌。

她換下寬大小丑服可會完全不同？

他靠在一張玫瑰紅絲絨長沙發上休息。

不消一會，聽見杯碟響，原來伊人已經在做咖啡，他轉過頭去。

周宗亮呆住，張大嘴，睜圓兩眼。

少女背光站着，只看到雪白側臉，她舉高手臂取瓶罐，寬大T恤袖子下無限風光，宗亮看到她茸茸腋下汗毛，還有半邊碗般豐滿酥胸。

只剎那間，沒穿內衣的她已放下手臂。

可是周宗亮已經耳麻腮赤，連嘴巴都乾涸，那無比的震撼叫他四肢發軟，魂不附體。

什麼女子到今日還留着汗毛？

一早已經全到醫生處用鐳射脫清，除出這紀歐洲。

她走近把咖啡交給宗亮。

宗亮看仔細她的面孔，整張臉都是細細密毛像隻桃子，濃眉長睫，竟有三分像紐子，難怪，他們本來就是一家，她是紐子的阿姨。

三姐妹都一樣蛋白樣肌膚，可是不同的是，少女神態自然寬舒，與美洲的拘謹與亞洲的放肆有別。

啊，他要看，他看到了，接着又怎樣？

他心嘭嘭跳躍。

端坐着動也不敢動。

但是周宗亮的丘腦部位已下命令分泌多巴胺，叫全身細胞回復功能，視網膜、心房、汗腺……統統甦醒運作，他心中產生無限憧憬愛念，他盼望親近這名少女。

宗亮嚇倒了自己。

從未有過那樣的渴望眷戀，少年十五二十時也一向鎮定，對美少女的櫻唇短

褲無動於衷，今日失控，叫他驚恐。

這時，精神恍惚的他忽然聽到窸窣聲音。

他定睛一看，奇上加奇。

只見少女手中提着細條木板，板上穿着透明尼龍線，線底下是一隻呎多兩呎高人的人形木偶。

她在醫院義務表演的就是這個？

叫宗亮驚訝的是，那木偶做得完全似小小紀歐洲：貼耳短髮，小圓臉加大眼睛，穿着扈大T恤與三個骨牛仔褲，一步一步，像個真人似朝他走近，栩栩如生。

啊，這是一具提線木偶，真沒想到它主人技藝如此高超，動作細節，木偶一抬頭一舉足，那腼腆可愛模樣，像煞歐洲本人，簡直像活轉一般。

宗亮呆上加呆，像置身九重雲中。

只見小小木偶一步步走近，接近宗亮雙足，它輕輕踏上他的鞋面，仰起頭，看一看宗亮。

宗亮覺得木偶已經活轉，它小小體內有歐洲靈魂，他凝視它。

木偶忽然伸開手臂，環抱宗亮小腿，小小臉龐輕輕貼住宗亮褲管，微微摩挲。

宗亮立刻哽咽，他一生不是沒享受過異性賜予的柔情，但是如此蜜意，這般溫馨，卻前所未有。

完了。

像有一把無形利刃，刺進他的心臟。

他緩緩伸出右手，輕輕放到木偶頭上，無比憐惜地撫揉她短髮，木偶又抬起頭回應，天呵，不過是畫上去的五官顏面，可是像真人般感情流動。

這時，歐洲放下手中提線，木偶倒在一角，動也不動了。

她微微笑看着宗亮，「今晚打擾你大哥。」

隔一會宗亮才清清喉嚨說：「舉手之勞。」

他告辭，盡量維持步伐整齊。

走到街上，他腳步變得蹣跚，終於蹲下，坐在不知是哪一家人的石階上。

雨還在下，肯定是要懲罰他這個輕薄男子。

那夜，不知如何回到家，脫下濕衣，赤裸上床。

許久之前，他也有裸睡習慣，與美洲在一起，被她嚴厲禁止：宗亮，人類雖也是靈長類，但與猿猴有別……

釋放了。

他流着眼淚入睡。

第二早，陶樂妃電話把他叫醒：「老闆，起來沒有，還不回公司幫手，忙得透不過氣來。」

「馬上到。」

一看鬧鐘，才七點半。

這些年來過的是什麼生活！

他站在蓮蓬頭下足足淋了十分鐘，滴酒未飲，卻彷彿宿醉未醒。

他腫着頭臉回公司。

陶樂妃給他兩大杯黑咖啡。

下午，他找兩個檔案，整個電腦記錄翻轉，不見踪影，只得把兩名副手叫來，大罵他們。

宗亮發起脾氣很能叫人難受。

「都自動跑進黑洞可是，你倆乾脆亦往另一個相對宇宙去工作如何？」

副手面面相覷。

這時陶樂妃推門進來，「你倆去忙你們的。」

關上門，她問宗亮，「找什麼檔案？」

「S與T。」

「那兩字代表絕密，不在電腦上，今日駭客連美國防部都打得進，我親手把資料整理，放在公司夾萬裏，它們是手抄本。」

宗亮吁出一口氣。

「老闆，請勿動輒把職員擦光亮剃眼眉。」

「你口氣似管家婆。」

「我此刻的確是管家。」

「從前你不出聲夠鎮定。」

「從前我只是無名秘書，犯不着動氣大聲。」

怎麼也說不過女人。

傍晚史律師找他說話。

史說：「離婚書放我那裏，紀美洲女士卻遲遲不來簽名。」

宗亮緩緩轉動手指上婚戒。

「可以脫下了。」

「已經戴慣。」

「昨夜多得你。」

「應該的。」

「歐洲是個美少女。」

「淘氣得要命，有時真忍不住要掐住她兩邊面頰肉大聲問：『你還聽不聽話！』」

「你看她多久了？」

「三歲起，濃髮大眼，手腳圓滾，我暗中叫她小肉彈，忍不住偷偷捏一下。」

「你真像個長輩。」

「模樣是可愛得不行，但是頑皮，學小提琴用琴弓比劍，又扯住小狗尾巴甩圈子，全家人連大塊頭司機看到小小姐都躲遠遠，時用我的愛馬仕領帶抹嘴上冰淇淋，是個惡嬰，但紀父鍾愛無比。」

宗亮聽得微微笑，站起斟咖啡喝。

阿史問：「你左腿為何一拐一拐？」

「啊，好似扭筋。」

「中年人了。」

宗亮一怔，再度發問：「歐洲在學校讀何科，為什麼會表演提線木偶？」

史律師答：「她讀純美術，天份卻不高，成績普通，即使是美術科，也得修理科學分，奇是奇在她那些數理化卻九十分，紀先生要求她轉科，她無論如何不肯，暑假，磨着往歐陸遊學，歐洲去歐洲，多有趣，她拜著名木偶藝術家賈桂琳為師，娛己娛人，那些木偶均由她親自設計製造，十分精彩。」

宗亮撫摸着左腿那木偶曾經擁抱之處，不出聲。

「歐洲天真熱情，需好好看管。」

宗亮指出：「你是風流獨身漢，怎會管教？」

「所以靠你了。」

宗亮說：「這麼多年，紀家三個頂尖聰敏女子，竟不知不理？」

「這是最佳政策。」

「她們從來不曾在我面前提起。」

「宗亮，你姓周。」

銅牆鐵壁，攻不進去。

史律師問：「可需要催美洲簽名？」

宗亮搖頭，「誰也不急。」

「有無可能復合？」

宗亮又搖頭：「她有外遇。」

「你這個酸儒，男人有個把女友則不妨，可是那樣？」

「阿史，你也清楚，男人是生理動物，女人是心理動物，她們一旦見異思遷，無可挽回。」

「即是你沒有愛到可以容忍她不貞，我知道一些男人，女伴周遊列國返來，仍然愛她至死脫。」

「我倆性情不合。」

「咄，另一藉口，你現在快樂否？」

「阿史，離婚是彼此脫離痛苦，不是尋求快活。」

史律師嘆氣，「相信無人可以怪我永遠不婚。」

「是的先生。」

一連好幾個晚上，宗亮做夢，都看見歐洲那隻小小木偶，爬上他膝蓋，抬起頭來，活轉，朝他淘氣微笑，他想撫摸她短髮，她已滑脫。

這種夢，想真，其實蠻可怕。

過幾天，宗亮終於到校門口等歐洲。

他着陶樂妃查到歐洲在何座建築物何間演講廳。

學堂美術室大如作坊，宗亮站在課室門口。

呵上次在課室外等人，只有十七歲，等的人沒到，別的女同學向他會心微笑、映眼、招手……歷歷在目。

周宗亮，你在幹什麼！

真是中年危機。

躊躇，想轉頭走，已經看到紀歐洲大包小包拖着抱着下課。

她頭戴小小破呢帽，仍然那種白色大T恤及三個骨牛仔褲及球鞋。

走到一半，有人叫住她，是另一個女孩，與她態度親熱得曖昧，嬉笑一會，又有男同學加入，把手中比薩餅遞到歐洲嘴邊。

所以在學堂裏，任何傳染病包括感冒肺炎各種可怕性病都閃電傳遞。

好不容易走到門口，看到周宗亮，歐洲展開笑臉，「大哥。」

宗亮心酸，他來做什麼？

不過是為着看歐洲一面。

他順手接過她那幾隻書包，重得他肩膀一沉，像載滿金條似。

「有事否大哥？」

「來看看你。」

看到她圓圓小臉，說不出甜蜜舒暢。

「見到大哥真開心。」沒想到歐洲先講出口。

「你去何處？」

「到護理院表演木偶戲。」

「我可以一起嗎？」

「你表演什麼？」

「我什麼都不會，只懂股票價位上落。」

歐洲仰起頭哈哈笑。

照說，也有廿歲出頭，公司女職員也是這個年齡，不知怎地，老練得多，不笑不語，百毒不侵模樣，但是歐洲得天獨厚，仍保存許多童真，真是幸運。

到達老人院，歐洲是熟客，一逕走入禮堂，只見十多排座位，已坐着數十名耄耋觀眾，多個還用輪椅。

沒有更衣室，歐洲躲在角落屏風後換上小丑服。

她先用白色泥膜敷臉。

宗亮奇問：「還得化粧？」

歐洲輕聲答：「因是志工，不做仔細些，不如不做，否則對不起觀眾，自己也不好過。」

這時，又像大人了。

她更衣時宗亮走到屏風外，可是面孔已經漲紅。

外邊台上一個男孩演奏小提琴，耆英們昏昏欲睡。

然後，歐洲出場。

她一走出，觀眾便大力鼓掌，連工作人員也站在一旁欣賞。

只見歐洲手中提着一隻與她粧扮得一模一樣小丑木偶，一大一小緩緩登台，這時小丑伸手招周宗亮。

宗亮指向胸口，「我？」

大家已經笑起來。

宗亮厚着面皮走近，歐洲給他裝上假紅鼻子，三人一齊向觀眾鞠躬。

木偶忽然啟口唱：「如果你快樂你又知曉，請鼓掌，」觀眾齊齊跟着鼓掌，

「如果你快樂你又知曉，請蹬足——」

宗亮會這首歌，走到鋼琴前坐下彈奏，氣氛更加熱鬧。

老人家們手忙腳亂地拍手蹬足，木偶在台上像煞有介事真指揮般手舞足蹈，歐洲稚氣汪亮放聲大唱。

表演持續五分鐘，掌聲如雷。

有老人家上前與歐洲及宗亮擁抱。

他們向觀眾鞠躬道別。

小丑臨別還給出好幾個飛吻。

明明是木偶，卻動作細緻像真，可愛到極點。

歐洲與宗亮離開護理院。

不知多久沒這般誠心誠意暢快如意地大笑，完全無求，天真快活。

「你是好拍檔，下次再來？」

宗亮微笑，「也許。」他哪來那麼多空閒。

「我要上課。」

宗亮把紅鼻子還給她。

剛想送她，一輛銀亮色跑車飄移式刷一聲停在附近車位，司機朝歐洲招手。

那年輕人英俊得有點囂張，頭髮用膠黏得直豎，手臂二頭肌圓滾滾，分明是男性的流金歲月，他有備而來。

歐洲向宗亮道別。

她輕輕擁抱他一下，豐滿胸脯軟綿綿。

歐洲上車離去。

宗亮銷魂，獨自站停車場半晌，心中又酸又甜。

回到公司，動作慢半拍，在陶樂妃催壓下，才願工作。

同事問：「周少爺怎麼了。」

「婚變，影響情緒。」

「男子也有情緒？」

「周是例外，他有憂鬱氣質，觸發女性母愛。」
周宗亮聽見會啼笑皆非吧。
此刻，他胸前仍有那陣軟綿綿溫馨，其實，這個男人，同其他所有男人，並無分別。
在綺思中，周宗亮捱過一天。
下班，同事們紛紛結伴喝一杯，他到健身室。
做了三十分鐘運動，汗流浹背，他輕輕同張教練說：「怎樣練都不會再年輕可是。」
張平訝異，「周，做運動當然不會叫你恢復青春，可是能夠使身體健康。」
宗亮又問：「為什麼我的二十歲不如人家的二十歲精彩？」
沒想到張平也有答案：「今日年輕人環境優渥，社會風氣又開放，他們確實比我們更加享受青春。」
「那麼——」

「周，使勁練手臂，你做得很有成績，就可以到沙灘或泳池一展雄風。」

雄風，宗亮笑出聲。

之後，他死活把史律師拉出吃飯。

史斥訓他：「你不能老纏着我煩，快找個女伴，我有我私人時間。」

「你可需要按時收費？」宗亮揶揄。

「你想說什麼？」

「美洲可簽了名？」

「你想念前妻？她在裝修房子，做得很怪，全部用灰藍色黏板岩石磚做地板，白牆白潔具，浴缸四邊不靠邊，大家嘖嘖稱奇。」

宗亮微笑，又是城內話題，美洲最喜歡。

「用什麼燈？」

「全屋燈都隱藏天花板內，氣氛像修道院。」

「簡約主義。」

「你仍然瞭解她，女人，到底想些什麼？她說，準備好一間房間留給你。」

「什麼？」

「不久紐子回來，方便父子共聚，她對你十分周到。」

「不怕我與她外國情人在走廊相遇？」

「美洲與那人已經分手。」

「這麼快？」

「那人着美洲投資澳洲某鐵礦，五百萬澳鎊，美洲與亞洲商議十分鐘決定分手。」

「美洲並不擁有五百萬澳鎊現金。」

「那人不知道。」

宗亮輕輕說：「再找一個也不難，也許只要求五十萬。」

史律師攤攤手，「這便叫做外遇，你呢，仍然堅守原則？」

「沒人要我。」

「你實在太過謙厚。」

「歐洲，她可有男朋友？」

「嘿，你說呢？」

宗亮不作聲。

「她十八歲生日那天我同她說：『史叔只要求你選擇別太濫，記住：使用安全套，切勿拍攝，街外真有牛頭馬面怪獸，確有少女死在垃圾箱內』。」

「嘩。」

「宗亮，你不知今日外頭是什麼世界。」

「為何我仍寂寞得慌。」

「那邊桌子有兩個妙齡女子一直看着你。」

「我們走吧。」

在門口阿史拍拍宗亮肩膊離去。

周宗亮寂寞？其實並不，他不過渴望歐洲作伴，其餘女子不能滿足他，他不

要其他人。

晚上，亞洲給他電話：「宗亮，媽媽想回來，我與青雲陪她，你去叫傭人打掃準備家居。」

一日為婿，終身為婿。

「她心情可好，能夠回舊居生活？」

「我也那麼想，老家處處是爸起居痕跡。」，嘆氣。

「紀家不是在法國南部羅朗區有一間度假村屋嗎。」

「那是蜜月之地，老媽不會開車，亦不諳法語，更不嗜葡萄酒，她不願動。」

「叫人擔憂。」

「他們都說，一個去了，另一個也走得快。」

「亞洲！」

「她吃什麼都無味，覺也睡不穩，除出見到紐子，沒有笑容。」

宗亮無言，稍後說：「我會吩咐人去收拾舊居。」

「姐妹倆的意思是，把紀老雜物都收起。」

「明白。」

第二天宗亮把苦差交予陶樂妃。

她聳然動容，「啊。」

「衣物，捐到慈善機構，書籍只得扔掉，唉，你帶史律師去瞧瞧，他對紀家最瞭解，家具搬個位置，廳房重新髹漆。」

陶樂妃立刻去約史律師。

宗亮工作到深夜，耳邊老似聽到歐洲銀鈴般笑聲，十餘架熒幕上數字不住像小精靈般閃耀，他雙目疲倦。

半夜，陶樂妃回來，頭髮紮成馬尾，捲着袖子，向他匯報：「史先生說所有身外物都可以扔淨，整理出廿多箱，包括三十年前時代週刊，這件事告訴我們，生活越簡單越好，生不帶來，死不帶去。」

宗亮點點頭。

「書房面積大了一半不止，明天再去。」

「拜託。」

「周，史律師他可是獨身？」

咦。

宗亮讓陶樂妃坐下，一本正經地說：「史一德今年約四十歲，老王老五，身體健康，無不良嗜好，從未結婚，亦無子女，經濟情況良好，擁有一間律師行，職員十多廿人，自創業追隨他十年以上，他品學兼優，中學起靠獎學金讀書，待人淳厚，性格忠誠，唯一缺點，是長得醜。」

陶樂妃忽然微笑。

「你別看他像書獃子，實則幽默感豐富，甚有童真，每次看 PIXAR 製作動畫，都會失聲痛哭，我視他為手足。」

陶樂妃問：「為什麼沒結婚，在等什麼？」

宗亮攤手，「早婚有何益處，看我與王青雲。」

「他要求什麼？」

「真心。」

「相貌呢。」

「陶女士你絕對派司。」

她低頭。

「阿陶，嘗試才有百分之五十機會。」

「怎麼做？」

「阿陶，女性本能，就照你平時這種姿態就好。」

「不會太似管家婆嗎？」

「這就是你，不要虛偽。」

「謝謝周先生指教。」

第二天，整天不見她，問她手下，他們答：「在紀老先生故居佈置。」

宗亮心中有數，他再找史律師，阿史連手機都沒開，秘書說：「他忙替紀太太打點。」

明白。

宗亮有一絲高興，陶小姐在公司勤工八年，幾乎每晚加班，全無私人生活，蹉跎青春，如果她與老成持重的史一德有緣份，那真是好事。

又他們生下孩子，三歲大學會說話就懂教訓淘伴：「慎交男朋友」、「勤有功戲無益」，哈哈哈哈。

接着，他藉故找歐洲。

每次手心都會發汗。

她來應電話，身邊有狗吠聲，「我在市民公園蹓狗，你要不要來？」

宗亮即時坐立不安，取過外套往市民公園趕去。

抵埗才知道該公園設有蹓狗區。

走近看到若干愛狗人士同寵物玩擲接飛碟。

而歐洲戴着鴨舌帽拖着四條大狗跑步，她有個同伴，那女孩長髮，被五六隻小狗拉得氣喘。

宗亮最喜在不遠處欣賞歐洲活潑動態，這次他也沒有失望，歐洲似有無限陽光精力，在公園跑道與狗隻競走、跳躍、嬉戲。

這樣簡單的快樂！

無償、無求，與功名利祿一絲關係也無，純粹是人與動物及自然交流。

宗亮又一次感動。

終於，人與狗都坐下，歐洲與同伴摘下帽子反轉，自背囊取出礦泉水倒入帽子，讓犬隻飲用。

宗亮走近。

這時他才發覺群犬有異，不是沒有尾巴，就是少了耳朵，有隻眇一目，還有些缺前一足，或是後腿，甚至後兩腳癱瘓，需裝上鋼架及輪子助行，呵，這是一群殘疾犬。

看不慣真會覺得有點可怕。

但是歐洲顯然毫不介意，雙手不停搓揉狗背，親熱得不得了。

她抬頭看到宗亮，招手，「大哥，這裏。」

這時，一輛愛護動物會的小貨車駛近，她與同伴把所有狗隻送上車，依依不捨道別。

看樣子蹓狗也是做義工。

歐洲解釋：「這些狗年事已高，又有缺憾，很難找人領養，可是，也需要關懷運動……」

宗亮點點頭。

歐洲渾身汗濕，手腳上沾着泥斑，卻不減其樂，在冰淇淋檔買了那種彩色鮮艷可怕的凍飲要與宗亮分享。

喝那種飲品舌頭會整天發紫或發綠，宗亮搖頭，她哈哈笑。

怪不得那麼多人定期做志工，看情形確實施比受有福。

「你家卻無狗貓。」

歐洲回答：「牠們只得十多年壽命，很快老死，屆時多麼傷心，不如不養。」

啊。

「還有，一般人怕牠們老病，可是主人一旦辭世，動物又如何應付？牠自幼在一個家裏長大，牠又不認識其他人，牠也傷心徬徨可是，因此我家沒有狗貓。」

宗亮訝異，這女孩情感竟如此敏感。

他對她憐惜又多增一分。

他輕輕說：「紀太太要回來了，你們兩家關係……」

歐洲不置可否，低頭不語。

「我送你回家再說。」

車廂面積小，歐洲身上汗息發揮，那是一種麝香般氣味，其實是體臭，汗裏

些許亞蒙尼亞與鹽份混合特有氣息，古人叫香汗，可見覺得吸引的不止周宗亮一人，那氣息不是任何瓶裝香氛可以比擬。

他腮邊有點痕癢。

歐洲把臉靠在窗邊，「家母，」她忽然輕輕說：「曾是演員，也擔任模特兒。」

她打開背囊，取出錢包，打開，給宗亮看小照片，宗亮一瞥，看到個短髮女郎，穿白襯衫，那是一幀化粧品廣告照，宗亮脫口而說：「著名的資生堂月曆。」眼前一亮。

「正是。」

美媽生美女，可是歐洲姿色與生母比，那還稍差一層，她母親有股清麗是不羈自由的歐洲所無，歐洲只擁有惹目亮麗。

難怪紀老當年為她傾倒。

「家母認識紀先生後休業，帶着我回首爾，等紀先生離婚，可是，紀先生一

直同紀太太在一起，只匯一大筆款給家母，劇終。」

宗亮不出聲。

「你看，家母，只是外遇。」

宗亮聽到這裏，心裏惻然。

「家母結婚之前，史律師出現，與她談一會，洽商送我寄宿讀書，我一直留在外國，直到最近。」

那已是不幸中大幸。

「繼父可是好人？」

「他是一名著名木雕藝術家，我與他不十分熟稔。」

「與紀先生呢？」

「更加生疏，史一德與我最親近，但是，他一直板着面孔做人。至直你出現，大哥，我可以感覺到你愛護我。」

宗亮臉紅，他有私心。

「很小的時候，渴望有兄弟姐妹。」

「你有兩個姐姐。」

「大哥，開什麼玩笑，史說她們不知我存在，我也從不妄想與她們相認。」

「今日的氣氛，是個好機會。」

「不，謝謝。」

歐洲也相當固執。

「韓國風氣不比西方，十分保守，你們覺得混血兒漂亮，他們不以為然，家母很吃了一點苦。」

「怎麼說？」

「她本身是韓法血統。」

這還是宗亮第一次聽到。

到家，歐洲喝冰凍啤酒，給一瓶宗亮，他搖頭。

已經暈酡酡，再添酒精，那還了得。

歐洲感喟：「大哥不會故意討好我，媽媽說，男子喜歡，追求女子之際，叫他用頭走路都行，在門口站着等一兩晚是等閒事，飛機大炮航空母艦，盡化本事獻寶，沒有辦不到，直至得到她。」

宗亮清清喉嚨，咳嗽一聲。

「西方比較單純，也無人故意討好我。」

她去淋浴。

宗亮靠在沙發上，閉目養神。

才十來分鐘，他覺得胸口有手指蠕動，他心劇跳，這屋裏只有兩個人。

他睜開雙眼，看到小小木偶躲在他腋下，而歐洲在椅背後咕咕笑。

如此愛嬌，叫宗亮心都軟了。

木偶忽然探出臉，又躲回去，用小小手掩住嘴。

它像真的一樣，宗亮忍不住朝它招手。

她爬到宗亮臉畔，伸出雙手，愛憐搓揉宗亮兩腮，在鬍鬚根上發出輕微沙沙

聲，又趨過臉，用鼻子摩宗亮鼻尖，宗亮渾身不能動彈。

同一隻木偶纏綿！

他終於按着木偶額角，輕吻兩下。

歐洲笑着收回木偶。

「大哥，可否為我做一件事。」

宗亮壓抑蕩漾情緒，他發覺雙手顫抖。

「什麼事？」

「我知道你一定會問清楚，你對我不會盲從。」

「請說。」

「幫我做一件功課。」

宗亮一聽，忍不住哈哈大笑。

「我自中學初三開始，就發誓不幫女生做功課，要不，喜歡我本人，要不，拉倒，不接受附帶條件，拒被狡猾女性利用。」

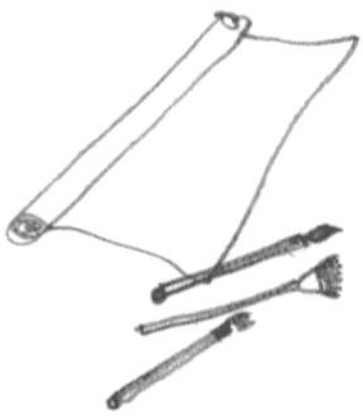

歐洲氣結：「你從未試過幫美姐功課？」

「我們各自畢業後才結識。」

「哼，我與你又不是romantically involved。」

「什麼功課？」

「不講。」

「說來聽聽。」

「一件美術作品。」

「你讀純美術，照說，不必交功課。」

「規矩改了。」歐洲頹然。

「什麼作品？」

「畫作或雕塑，有題目，雕塑得包括阿利士多德那風土水火四個原素。」

「何等抽象，還有其他選擇否。」

「畫作是人體。」

「你有什麼困難？」好似有點轉圜餘地。

「大哥，請到這邊。」

她轉到屏風後邊，原來內裏另有天地，那處四乘六大枱已經放滿設計圖及各款顏料，地上鋪着大張帆布，上邊彩色斑斑，屋頂大天窗照明，這是一間國際水準畫室，給任何成名大畫家用都不遜色，由此可知紀先生多麼疼惜歐洲。

宗亮一步步走近。

他讀書時與同學共用一小間，每人只得三四十平方呎活動空間。

她給他看習作。

枱子由循環木料製成，樸實堅固，宗亮脫口問：「是你繼父所贈？」

「你眼光精準，家母投資支持他開一爿小小木廠，一併做門市，很快他才華得到賞識……」

自首爾近郊把那麼大一件家具運來，十分奢侈。

歐洲出示一卷極薄綿細宣紙，噫，榮寶齋絕品，喲，給學生用簡直牛嚼牡

丹。

若干紙上已有圖畫。

宗亮看仔細些，咦！是拓印，黑白灰各種水彩油料作出試驗，效果以滲薄油畫顏料最好，看樣子這女孩也沒閒着，可能遇到某些關節未通，故請教大哥。

歐洲說：「大哥，像是少了什麼似。」

歐洲選用金色打陰影，宗亮微笑：「黑與金，像廉價工藝品。」

歐洲懊惱，「我也那麼想，要突出反顯庸俗。」

「我並非美術生。」

「眼光不分學系。」

宗亮再加端詳，看出端倪，哎呀，宣紙上拓印竟是男性人體，胸肌腹肌紋路清晰，連臍眼都隱約可見。

「你用真人模特兒？」

「我的煩惱就在這裏。」

宗亮咧開嘴笑，與紀歐洲在一起，他忘記年齡，不，不是四十，也不是三十，他快活無邊，歲數於他何有哉。

宗亮忍笑忍得眼角潤濕，「那模特兒可是脫下衣服後不肯穿上，也不願離開畫室？呵哈呵哈。」

歐洲氣結，取起一管油彩，用力往宗亮方向擠，濺得宗亮一身。

「喂喂喂。」

歐洲悻悻然。

「模特兒是誰？」

「機械科學生金武進。」

「是韓裔吧。」

「他身材最好，美術系同學胸肌不夠漂亮。」

宗亮問：「你有否想過找女同學？」

誰知歐洲斷然說：「我覺得女體不夠男體漂亮，我對與自身一式一樣的女體

不感興趣。」

嘩，「這是習作，與興趣無關。」

「一個人怎麼可以做心中不喜歡的工作。」

「你是幸運兒。」

宗亮看到襯衫上明黃顏料，「可想過索性用實在肌膚顏色，藝術加工，略為棕啡。」

「那不太普通了嗎。」

「可用淡黃做光影，當人人標新立異之際，平凡反而突出。」

「啊，可以一試。」

歐洲調好顏色，請宗亮伸出手，把顏料搽在他皮膚上，用宣紙拓他手背印子。

歐洲握着他大手，無比歡喜，那樣寬厚男性的手，多麼漂亮。她把宣紙手印放在桌上，用淡黃點出光影，效果真不錯。

她放下宗亮的手之前，宗亮心中說：多握一會，多握一會。

歐洲輕輕說：「大哥，你是一個美男子。」

宗亮想笑，又覺不妥，他嗯一聲，「我可以幫你做什麼，可要我派員監守模特兒？」

「不，不。」

宗亮攤開手。

電光石火間，他明白了，他看着歐洲明亮小面孔，那炯炯雙眼，輪到他擺手，「沒可能，你想都不用想。」

「大哥。」

「我要告辭了。」

他甫站起，歐洲已經撲到他背上纏住不放。

他笑着喊救命。

「不答應我不下來。」

「我告訴史一德。」

「他救不了你。」

「紀歐洲女士，我是一個市儈生意人，我怎可擔任你私人模特兒，我何來時間精力。」

「你可以你可以。」

原來三姐妹當中最橫蠻的是歐洲。

「只要側臉與胸臂，你已經提供了手印。」

「不，你少胡鬧，我已盡力幫你，現在我要走了。」

他硬着心腸走到門口，嘆口氣。

為什麼不留下來。

人生路程他已走完一半，擺在他面前明明是一塊糖，有什麼理由不取起放到嘴裏。

他一隻手已經拉開門，剛想回頭，已經有人喝住他，「周宗亮，你怎麼在這

裏。」

原來是史律師來訪。

歐洲跟着迎出。

史一德為人無比精靈，頓時起疑，表面上只是不露聲色，「我找歐洲有事。」

歐洲靜靜看着他。

「紀太太想見你，歐洲。」

歐洲忽然咧開嘴笑，露出雪白牙齒，她說：「我並非皇后陛下的臣民，我永遠不會見她們一家，我聽說她們不是容易相處的人。」

「歐洲，你孑然一人生活未免淒清。」

「放心，我很會安排時間空間，我有我的親友。」

「長輩刻意邀請——」

「我不識抬舉。」

「這——」

「說我病了。」

「你想病多久？」

「病入膏肓，然後失救辭世。」

「歐洲！」

「會談結束，這件事沒有商榷餘地。」

史一德無奈，走近畫作，裝欣賞狀。

隔一會他說：「顏色好看極了，這平滑表面如何製成？顏料因此渾然一體，具浪漫感。」講了等於沒講，他可以做畫評人。

歐洲回答：「先上顏色再加貼宣紙，然後，用電動打磨器輕輕磨平——」

「這是手工藝，不是畫作。」

「咄，畢加索也那樣做。」

「是嗎。」

宗亮悄悄溜走。

一隻手重重搭在他肩上，「我有話說。」

宗亮轉過頭，「紀母回來了，我去探訪。」

「傍晚飛機，我與你一起接她。」

「可否——」

「不可以，人一走，茶就涼？你欠紀家。」

「是，是。」宗亮汗顏。

「這種時間，你耽在歐洲家幹什麼？」

宗亮語塞。

「周宗亮，」史氏聲音嚴肅，「你的中年危機，得小心處理。」

「我與歐洲並無親屬關係。」

「虧你講得出口，歐洲千真萬確是紐子的阿姨，我知道，紀老生前驗過因子，他是她生父，神經有毛病的人才會製成這種夾纏一生的姻親關係，你應視她

為子侄。」

「你當我是一頭狼。」

「你不就最好。」

「我有大把工作等着做。」

傍晚，史一德率領兩部車子往接紀太太，陶樂妃也跟着一起，他說：「多一雙手。」

紀太太與美洲都瘦一圈，只有亞洲豐碩如常。

「紐子呢？」宗亮失望。

「紐子要上學。」

她們上車，紀媽說：「宗亮同我坐。」

「太擠了。」亞洲抱怨：「我一個人得佔兩個位置。」

結果美洲還是坐車頭，宗亮與前大姨及前岳母擠後邊，靠在肉肉的亞洲身邊，十分舒服。

一上車亞洲就脫掉三吋半高跟鞋，腳背已擠得紅腫，宗亮一瞥，發覺異樣，心中默數，亞洲少了一隻尾趾，再看另一隻腳，也是一樣！

宗亮瞠目結舌。

亞洲解釋：「足趾根部關節脹大外曲，異常疼痛，已遵醫囑手術摘除。」

宗亮不知說什麼才好。

美洲已經冷笑，「別聽她的，她喜穿尖頭鞋，五趾太寬，擠不進鞋頭，故此叫矯形醫生切掉。」

宗亮聽得牙齦發酸，他第一次聽得女性愛美願意作出如此恐怖犧牲，削足就履！

誰知亞洲哈哈笑，不在乎，「美洲咒我終究會死在手術桌上。」

這時紀太太咳嗽一聲，她們才噤聲。

周宗亮只想下車。

到達紀家，看到屋子新裝潢，紀母相當歡喜，知由陶樂妃負責打點，着實稱

讚一番，喝過茶，她累了，回房間休息。

史律師與陶樂妃先走，宗亮也想告辭，卻被兩姐妹留住。

亞洲走近倚熟賣熟撫摸宗亮鬍髭，「毛茸茸像狼人。」

美洲笑，「你見過他胸腹，柔軟汗毛長得似貓肚。」

宗亮訝異，外人都覺得紀家女性斯文優雅，私底下伊們也會熟不拘禮，戲謔一番。

「有話要說嗎。」

美洲忽然問姐姐：「你會怎樣形容周宗亮？」

「一個非常漂亮的年輕男子。」

「王青雲呢？」

「怎樣看男人？」

「非常漂亮但粗糙的男子。」

「統共不知感恩的雄性人類。」

宗亮耐心重複：「有話要對我說？」
「美洲，給他一瓶冰鎮啤酒。」
宗亮說：「我還要開車。」
「我讓司機送你。」
她們坐他對面，宗亮不敢看亞洲雙足。
「宗亮，聽史律師說，你已見過紀歐洲。」
宗亮一怔，但沒太多意外，歐洲已經廿歲，若說她們不知道有這名非婚生女，那麼，未免太低估亞美兩洲，他坦白點頭。
「據說，是我們父親臨終向你託孤。」
宗亮又點頭。
「據說，她人長得好看，且才華橫溢，去年在首爾及東京舉行畫展，甚獲好評。」
這他不知道。

「她生母，叫李善喜，著名交際花。」

美洲輕輕說：「那個女子，毀了紀媽一生幸福。」

宗亮不以為然，「如果紀媽選擇堅忍，必有她的理由。」

「紀媽留下原因，是因為她比紀媽先走。」

什麼？

宗亮緩緩說：「上一代的事，我們不知詳情。」

「她丟下紀先生去結婚。」

宗亮想：各人有各人版本，歐洲說，是紀先生不肯離婚，那女子才逼不得已改嫁。

這時亞洲放肆把腳擱在宗亮大腿上。

美洲看不過眼，把她的腳挪開。

宗亮忽然說：「亞洲你已經夠明艷漂亮，根本不必做任何手術，為何信心盡失？」

一句說到亞洲心坎裏，她不禁黯然。

「亞洲，你左嘴角有顆痣，本來最俏皮，脫去後失去性格。」

「宗亮我人老珠黃。」

「胡說。」

美洲不出聲。

宗亮問：「還有什麼話說？」

美洲反問：「你來不及要去何處？」

亞洲提起精神，「紀媽的意思是，讓史律師與歐洲商討條件，好叫她離開。」

宗亮不由得有氣，「歐洲有她存在權利，她也是紀家一分子。」

「宗亮，你太天真。」

「你倆太世故，歐洲不過是個孩子，比紐子略大幾歲，歐洲並不想認宗。」

美洲凝視前夫，「你彷彿對那女子甚有瞭解。」

「不敢當。」

「我們已囑史律師查詢，她需要什麼條件。」

「太過份了。」

「宗亮，她也是成年人。」

亞洲喃喃：「叫歐羅芭，那是希臘神話裏天神宙斯化身為公牛追求的情婦。」

「她不會接受你們條件。」

聽了這話，亞美兩姐妹忽然大笑。

宗亮沒好氣，「我告辭了。」

美洲點頭，「真是狐媚子，有的是法術。」

「誰告訴你們關於歐洲，是紀媽？」

「紀媽口裏不會說那兩個字。」

宗亮嘆口氣離去。

是紀父毀卻妻子幸福。

但女人總愛把責任推到外遇身上。

紀父臨終前又把一個燙手山芋交到他手裏。

可憐的歐洲什麼也沒做已遭到排擠。

第二天宗亮去做運動。

師傅說，「周，你怎麼了，集中精神。」

陶樂妃也那樣說。

宗亮答：「Mighty Fu，救我。」

師傅沒好氣，想一想：「你晚上六時到下址，我教你一套太極，陶冶性情。」

張教練留下一張名片。

宗亮穿着背心舉重，時有不少女性轉過頭看他，大膽的走近一邊輕輕擦汗一邊問：「運動完可有時間喝一杯。」

她不是沒有姿色，但宗亮十分客套出示仍在他手指上的指環。

女子知難而退。

第二早陶樂妃咕咕笑着走進宗亮辦公室。

宗亮明白她笑臉漸多的原因，女子就是那樣，儘管已經進化得英明果斷，聰敏獨立，可是，擁有投契男伴，仍是一大樂事。

「紀太太探班，送來最美味糕果，即時搶光，我只給你留了一塊。」

「我不嗜甜，太太在哪裏？」

「在人事部與陳偵探說話。」

電光石火間宗亮什麼都明白。

他用陳禾打探美洲，紀太太也用同一人查他與歐洲，陳禾是公司僱員，特別可靠，她如反間諜般持雙重身份。

不一會紀太太進來，看到陽光下的宗亮，指着他與陶樂妃說：「你看你老闆，一臉毛，雙眉幾乎連在一起，有礙觀瞻。」

「媽媽請坐。」

紀太太看到他手上指環，以及仍在他案頭美洲與紐子的照片。

她嘆氣，「人生不如意事常八九，伴侶永不貞忠，子女一定忤逆，市道上落無常。」

「媽媽句句有理。」

「宗亮，做人沒味道。」

「媽媽不如多見紐子，他自幼是個快樂蛋。」

他過去握住紀媽雙手。

「宗亮，是美洲沒有福氣。」

「媽，我有自知之明，我是一個乏味的經紀佬，終日鑽營，全身沒有一顆優雅細胞，不懂生活情趣，渾不知討好女性，美洲並無損失。」

「你說這種話我更加不舒服。」

宗亮說：「紐子不同，我曾問他，在校強項是什麼，他竟然答：『對女生甜

言蜜語』，奇煞氣煞。」

連紀媽都笑出來，「我借陶樂妃半日，我要到阿史處商量一些事。」

「媽你請便。」

宗亮忙一整天，秘書下班前探頭問：「周先生冰箱還有一塊榭露茜蛋糕，你吃不吃，可否贈我。」

女子與甜品！「別客氣。」

「謝謝周先生。」她歡天喜地去了。

宗亮想到極幼小時，不甚有記憶，可是卻記住外婆抱起胖胖的他，讓他到紅木桌子取小小塊香甜綠豆糕吃，小宗亮十分聰明，先拿一塊塞進嘴，然後一手緊緊抓一塊，用力過度，把軟糕擠得一團糟，幼兒可不在乎賣相，吃得津津有味。

他母親抱怨：「餵得小亮胖似豬肉彈。」

那樣好日子也會過去。

晚上，他在家看報告，一邊瞄着電視新聞。

「……下午三時左右，警方在北郊叢林發現一具女屍，懷疑是流鶯，相信是他殺案件……」

鏡頭看到深藍色帳篷遮住現場，制服人員忙碌穿梭。

宗亮心想，為着報答生母孕育之恩，總得好好生活。

他忽然覺得悶悶不樂。

這時門鈴響。

知道這個地址的人不多，誰會來探訪他。

門一打開，他看到他的歡喜團。

「歐洲。」

歐洲穿染着油彩的白T恤，寬身褲，雙手藏背後，笑嘻嘻，「大哥。」

宗亮聲音都軟了，「進來。」

歐洲拎出雙手，原來她帶着兩隻木偶一起，一隻是紅鼻子小丑，另一隻，是與她穿一模一樣T恤的小女孩。

宗亮不由得問：「又想怎樣？」

只見小丑活靈活現指示宗亮坐下。

宗亮聚精會神看着木偶。

女孩木偶奔近宗亮，小丑伸臂攔住，指指宗亮，又叉起腰，很明顯表示：「人家生你氣呵」，可是女孩不管，一定要過去，雙手揉眼，急得哭泣。

宗亮心酥靡，「過來，」他招手，「這裏。」

木偶奔近，跳到他胸口，大字形伏下。

「想怎樣？」

木偶的臉在他胸膛左右移動。

宗亮聲音低不可聞：「是要我當你模特兒？」

木偶仰起頭拍手。

「好，好。」

木偶飛撲到他臉上，不住親吻。

宗亮把小丑也擁到懷裏。

這時歐洲忍不住咚一聲壓到宗亮胸前，粉臉磨他腮邊，宗亮渾身麻癢，「當心擦痛面孔」，歐洲抱住他，「大哥對我真好。」

宗亮咳嗽一聲，「你先起來。」再親近下去很快會有不大好事情發生。

「你先回去，我稍後來看你。」

「請順便帶一隻比薩餅。」

歐洲與她那木偶家屬終於離去。

宗亮連忙進浴室用冷水敷面，他找到新剃鬍刀，略為修理臉上毛髮，換上清潔衣服。

他忽然膽怯，坐床沿，嘆口氣。

終於鼓起勇氣，帶了比薩水果飲料到歐洲家。

把食物放下，他沒有進去，「我明日白天再來。」

歐洲笑。

宗亮氣結，用大手罩住她頭，伸手一推，「你知道什麼。」

他轉頭駕車回家。

他甚至不想到酒吧散心，周宗亮並不喜歡人多地方，人越擠，越是寂寥，他一點不覺得享受。

他獨自往山頂兜風，倦了，停車看都會燦爛燈飾。

不遠之處有一輛銀色五十年代修復平治跑車，裏邊也只得一個人，那年輕女司機長髮，臉色白皙，轉過頭看宗亮。

但宗亮心中只有一個人，OK，OK，還有兩隻提線木偶。

他悄悄把車駛走。

不知怎地，想起多年前美洲告訴他的一件事，她說：有一個女友，暫無男伴，孤枕獨眠，可是，她用牛仔布做床單，午夜夢迴，大腿輕輕感覺粗糙布料，彷彿是男友濃密體毛，朦朧安慰，叫她嘆息。

當年宗亮聽到這故事已經心酸，今日更甚。

他沒問那女子是誰，他已經結婚，不能借出擁抱。

今晚也是。

可能錯過最性感及最感性的女子，但是時間不對，他只能愛一個。

情緒恍惚，他睡足一整晚，但似一晚未睡。

第二早回到公司，阿史比他先在。

他把茶水間當自己家飯廳，擺開粢飯豆漿以及小籠包，大快朵頤。

宗亮連忙坐下分享。

兩個男人吃得雙頰鼓鼓。

陶樂妃進來，每人給一杯濃濃普洱茶。

史一德邊嚼邊說：「我不知怎麼做，特來請教你。」

「做什麼？」

「紀太太叫我着歐洲消失。」

宗亮嘆息，「她懷恨在心，擱不開往事，歐洲叫她想起那女子。」

「可是歐洲並沒打擾紀太太，歐洲甚至不願見她們母女三人。」

宗亮好似想到什麼，又低下頭。

史一德說：「我最喜歡吃糯米。」

「我也是。」

「怎樣叫人家消失，買兇殺人？」

「也許是要叫她回首爾。」

「紀歐洲有權住全球任何城市。」

「我也那樣同紀太太說，差點失卻差使。」

「女人為何那樣野蠻？」

「紀太太已臻化境，她那樣做，我懷疑不是自私。」

「那為誰？」

史一德看牢周宗亮。

「我？」

史一德不出聲。

「你與歐洲往來甚密可是？」

宗亮不願回答。

「有人見到你倆舉止親密。」

「不管任何人事。」

「宗亮。」

宗亮答：「我知道，她是紐子的阿姨。」

「這就是紀太太要叫歐洲消失的原因，周鈕是她的玉瓶兒。」

宗亮不語。

「周，這是怎麼一回事，你見多識廣，憑你天賦，女人前仆後繼，羨煞我們這票中人之姿，你怎會……她不過是一個冒失毛少女……」

宗亮別轉頭。

「你要在她身上尋找失去的青春？叫人想起Mancel Proust—À la recherche du

temps perdu。」

「阿史，你呢，你覺得陶樂妃怎樣？」

他忽然臉紅，宗亮納罕，老皮老肉的阿史早練得刀槍不入百毒不侵，面皮比牛皮厚，怎麼還有血氣照得透，奇哉怪也。

「人聰明，又誠懇，有肩胳，肯吃苦，學習速度快，不問報酬，好女子。」

宗亮笑，不問報酬？

「模樣也出色，口齒伶俐，衣着莊重，沒話說。」

「都十全十美了。」

「宗亮，往日我怎麼沒注意到她。」

「機緣未到。」

「我已展開追求。」

宗亮不禁好奇，「中年追求異性，怎麼做？」

「唉，問得好，煞費工夫：含蓄，卻不乏熱情，富技巧，但不可用心計，千

萬不要炫耀財富，不過得讓她知道，經濟不是問題……」

宗亮皺上眉頭，「我只會做回我自己。」

阿史忽然妒忌，「那當然，你渾身是毛，臉相憂鬱，六呎一吋，六塊腹肌，穿寬褲或窄褲，一般有副賊相，」他伸手過去捏宗亮手臂，「我都忍不住想摸一摸。」

宗亮沒好氣，「大腿在此，請便。」

「我想邀陶樂妃外遊。」

「去何處？」

「宗亮，府上在法國南部有間度假屋……」

「羅朗區，葡萄園與薰衣草田圍繞着一間十七世紀村屋，設備齊全，裝修古樸，好選擇，正適合此刻初夏度假，有副門匙在我處，一德，我衷心祝你蜜運成功。」

阿史有點不好意思。

「公司替你訂飛機票。」

「商務客位即可。」

「對對，不可太鋪張。」

宗亮立刻找到鎖匙，「車匙問管家，讓陶樂妃先用電話知會一聲。」

隔一日，陶樂妃進來同周宗亮輕輕說：「我們決定到京都，南法不是我那杯茶。」

「那就要住酒店了。」

「旅遊費用由紀太太支付，她真客氣，還給了一封紅包作零用，說是謝我成功替她佈置家居酬勞。」

「去多久？」

「十天，我把各種事務都交代小組，並且留下電話。」

「玩得高興點。」

「周先生——」

「還不走？」

史一德大膽成功約會陶樂妃一事給宗亮極大啟示。

他躊躇良久。

下了班，到歐洲住所去履行諾言。

她都準備妥當：紙張、顏料、畫布、筆刷……

最要命的是歐洲那身打扮。

她頭上包一條小小頭巾擋顏料，身上穿工人長褲，吊帶內卻只有一件胸衣，天地良心，宗亮什麼都沒看到，因為工人褲前幅都有一塊長方形布料，可是他可憐的心跳躍不已。

他斟出一大杯冰茶，默默同自己說：鎮定我心。

艷女根本沒有固定定義，你要覺得她性感，工人褲已夠誘惑，何用魚網襪紅緞高跟鞋。

歐洲讓宗亮看巨型三乘五呎畫布。

「實物大小，來，請脫下襯衫。」

「嗄？」

「你見過穿衣裳的模特兒？西西庭天花板上的阿當有衣衫嗎？」

「他是阿當。」

歐洲伸手來剝。

「光是上衫。」

「嘩，大哥好身段，胸膛寬得可躺兩個人。」

宗亮腼腆，她們這新一代，什麼都照心說。

歐洲先把顏料在微波爐裏暖十秒鐘，才用掃子蘸了刷到宗亮身上。

她一早有計劃，順序做來，井井有條，看樣子一個下午可以完工。

臉、頸、肩、臂、背、胸，歐洲細心拓印。

宗亮漸漸明白她苦衷，的確不能請男同學擔此重任，他們來了哪裏還肯走。

宗亮覺得像做Spa一般舒服，正陶醉，歐洲說：「真沒想到大哥身軀這樣寬

厚，立體，請舉臂讓我影印腋下。」她咕咕笑。

觸到癢處，宗亮酥倒，蹲在地上，索性躺平帆布上。

「你畏羞？」

宗亮點點頭。

「大哥真有趣。」

歐洲大膽把宗亮褲頭往下摺，要拓印他的臍眼。宗亮心裏喊救命，滾到一角，躲到畫架底下。

歐洲笑得流淚。

她的男同學，一進門就自動脫光，一邊問：「內褲留不留」，只可以說，周宗亮是個老式人。

「大哥，明天再做，你請去淋浴。」

宗亮答：「我沒替換衣服，明天同樣時間再見。」

他套上襯衫，匆匆回家，落荒而逃。

幸虧歐洲用的是水溶性顏料，一洗即去。

整晚，宗亮都覺得渾身癢酥酥，說不出不安，睡不好，清晨起來，檢查皮膚，卻好端端，一點也無紅腫。

第二天他穿鬆身衣褲上班。

秘書報告：「陶樂妃往京都看中世紀古城堡去了，這幾天找好替工。」

真風流。

宗亮的想法是：沒人陪，走到香格里拉也無用，一個人花前月下獨立中宵像發花癡，但假使有人陪，去那街角公園長櫈也已經很好。

不過他消極思想受陶樂妃影響忽有轉變。

傍晚到歐洲家，她滿身油彩迎出。

宗亮痛惜抹去她臉上濺着的顏料，她顯然兩日一夜未睡，眼角紅紅，但眸子卻晶光閃閃。

她興奮說：「大哥請來指正。」

拉着他的手，走到畫布前。

只見她已把昨日拓印在宣紙上宗亮金棕色身形裱貼到畫布上，感覺清新奇妙，略有凹凸，她用打磨機磨平，顏色頓時憔悴起來，人像顯得略為寂寥。

宗亮大為詫異，「歐洲，你是天才。」

本來以為她鬧着玩，並且標新立異，意圖嘩眾取寵，但不，她叫他驚訝。畫布上欲隱欲現的他與周宗亮真人一般無聊寂寞，而且，畫作春意盎然。

「歐洲，真想不到你有此本事。」

「謝謝大哥讚美，現在，可以印重要部位了吧，這裏還缺了兩塊呢。」

那畫像慵倦地舉着雙手，雖是男身，極具媚態，宗亮越看越驚，這真是他？這確是他。

這時，歐洲已把油彩往他臉上敷。

她小巧靈活手指在他五官上輕輕按動。

摸到他嘴唇，周宗亮再也忍不住，隔着薄紙，把她手指咬住。

歐洲咕咕笑縮手，把宣紙揭開，「大哥，你也很會調情呀。」

她的天真爛漫，化解了周宗亮的慾念。

她動手把顏料掃上他肚臍，「嘩，這麼多汗毛，會打轉呵，成為 6 形，啊哈啊哈。」

終於完工，宗亮穿回衣服，忽然說：「歐洲，與我一起度假。」

歐洲一怔，她先把宣紙小心晾在架子上，然後問非所答：「不想使金色，用什麼做亮光？」

「明黃。」

「對，對。就你我兩人，去何處？」

「南法羅朗。」

「去幹什麼？」

「吃喝睡、散步、作畫。」

她伏到他身上，「大哥，你對我有意思？」

宗亮臉漲得通紅，自覺兩腮發燙。

小小的手摸他嘴唇，「大哥，你知道這是不對的。」

宗亮聽見他自己輕輕答：「If loving you is wrong, I don't want to be right.」

周宗亮告了一星期假。

他也沒有昏了頭，等到陶樂妃報到之後才收拾行李。

他一直默默無言，可是嘴角有某種微笑，既是惆悵又是窩心，心中忽苦忽甜。

他只帶着一袋夏季替換衣物便趕到飛機場。

歐洲沒叫他等，她飛撲跳上雙腿圍到他腰上，臉蛋不住磨他鬚根。

兩人一句話也沒有。

他握緊她手上飛機，找到座位，把兩隻大袋安置好，坐低，便閉目養神。

飛機朝南歐飛出去，與歐洲去歐洲，周宗亮的一顆心似忽然長出翅膀飛出去，千古以來，私奔的情侶，都有這種感受吧。

他一直把歐洲的手放在腮邊不放。

他不知道鄰座有個中年女子悄悄看他倆，她的眼神像在說：以為早就退役，不再憧憬情愛，但每到春來，惆悵恰似舊，仍然嚮往呵，上一次被異性這樣愛慕，似已是前世之事，想着，她淚盈於睫，誰道閒情拋卻久。

飛機抵埗，宗亮租輛吉甫車出發，半途在小茶座吃午餐，陽光把兩人皮膚照成金色，歐洲探過頭去吻宗亮，她嘴角沾着蜜醬奶油，宗亮瞇着眼，盡情享受。

數小時路程，公路轉入小路，兩旁全是薰衣草田與菜籽地，配藍天白雲，歐洲讚美：「天堂一樣。」

車路漸窮，小心慢駛，終於轉入避車處。

歐洲看到一間小平居，忍不住低喊：「Woooo——」

有人打開門迎出，一男一女管家笑着說：「歡迎周先生」，伸手接過行李，又朝歐洲點頭，「紀小姐你好。」

兩層樓精舍十分精緻，最奇突是正面外牆左邊全部爬滿呎許長紫藤，右邊則

是數千朵鮮紅色漫遊玫瑰，剎時間，香氣撲鼻，歐洲樂不可支，跳躍起來。

接着，她緊緊擁抱宗亮。

管家把行李拿到樓上寢室，「周先生，六時半晚餐好嗎。」

宗亮應一聲。

歐洲打開長窗站到新藝術式花環形鐵欄杆往下看，她笑問：「羅密歐，你為何偏是羅密歐？」

周宗亮站在她背後，悄悄貪婪地嗅她汗息。

開頭，他以為她不太喜沐浴，故此體嗅特濃，現在他知道她洗完半日，已經有汗息，入夜有約的話又得洗一次。

但是宗亮最喜歡聞歐洲這身上天然味道，覺得誘惑無比，他這時又走近一步。

歐洲猛然頭轉過來，他看到她額角上細細密佈汗毛，他終於找到她的櫻唇，在花香裏正式親吻她。

傍晚，他們吃羊肉，新鮮薄荷葉叫歐洲讚賞。

宗亮領她到廚房參觀。

歐洲嘆為觀止，只見一排幾十隻小小陶罐放在窗沿，裏邊種着不同香草：迷迭香、芫茜、蔥、韮菜……隨時應用。

近千平方呎大廚房一邊通往天井，十分通風，全地鋪紅磚。

歐洲又有新發現，天井那邊有小小山坡，她看到美麗的力匡雞走來走去，忽然之間，一隻較壯大的禽鳥緩緩走近，看到歐洲，忽然展開尾巴，剎時間有一千隻眼睛看牢歐洲與宗亮。

啊，是一隻雄性孔雀！

歐洲走近蹲下凝視，另一隻雌孔雀也走到她身邊。

宗亮解釋：「每天吃的雞蛋，都由自家雞隻提供。」

「牛乳呢？」

「這裏不養牛羊。」

「喲，多可惜。」

剛在惋惜，牛奶車叮叮駛近，放下一大隻錫罐，管家拎進廚房，一邊說：

「周先生，已替你準備好偉氏牌機車。」

宗亮載歐洲四出遊覽，在山坡停車看日落，碰到一大群蘋果臉小學生，歐洲趨前與他們說話，這時宗亮才發覺歐洲會講法語。

他生怕小孩問：「姐姐，那是你父親嗎」，但是沒有，他們沒有懷疑他。

宗亮問歐洲：「可要到巴黎？」

她搖頭。

每天早上，他們都睡得老晚，宗亮醒來，看到歐洲側睡，像嬰兒般，把臉擠到一塊，嘴巴張開像O字，可愛到不行。

這次旅行，她沒把木偶帶在身邊，她真人上陣。

宗亮起床漱口。

歐洲在他背後說：「大哥真是一個漂亮的男人。」

她又問：「美姐為什麼離開你？」

宗亮轉過頭去，看到歐洲裸體。

他不算好色，但男人畢竟是男人，他輕輕說：「歐洲，你是美女。」

真沒想到天天寬袍大袖的歐洲有那樣豐胸纖腰圓臀。

男子喜歡女性臀圍飽滿，開始之際，是因為寬臀代表生育較順，而豐胸顯示嬰兒會有足夠食物，適者生存，漸漸卻成為審美標準。

宗亮輕輕說：「歐洲，扣子，我們永遠留羅朗好不好，不要回去了。」

「嗄？」歐洲笑，「如果我十七歲，我會說好。」

廿一歲的她都知道什麼年齡做什麼事。

周宗亮頹然，一想到要回家，他心炙痛。

「過一兩個月會膩，我們都需要工作。」

宗亮吻她的手，「你捨得回去？」

歐洲回答：「這次假期肯定是我一生最快活日子。」

「你那麼年輕，你怎麼知道。」

「呵大哥一個人的快樂可去到何處，當事者大抵是知道的。」

「那麼歐洲，讓我們結婚。」

「我不懂做妻子。」她掩住胸口。

「你做回你自己就好。」

「我姐姐已嫁過你為妻，記得嗎，紀美洲，著名優雅淑女。」她把臉探得很近，一副挑釁模樣。

宗亮擰住她臉頰肉往外拉，她嗚嗚叫痛。

這少女不是沒有經驗，但在任何情形下都不忘淘氣作樂，她並非幸福兒童，仍然樂觀快活，十分難得。

「同居，同居你可願意？」

宗亮斬釘截鐵，「我最恨惡這個名詞。」

「那麼，我們像目前這樣，分別住，各管各工作休息飲食。」

宗亮把她拉到懷中，一個轉身，六呎高，一百八十多磅，壓她身上，雙臂越收越緊，「我決定不回去。」

歐洲咳嗽兩聲，宗亮仍無鬆手之意。

這時管家敲門，「周先生，可要幫忙收拾行李？你倆傍晚六時飛機。」

宗亮不得不面對現實，起來啟門，「沒有行李，請準備路上小食及飲料。」

「明白。」

現實真討厭，人，得吃飯如廁，男女都會腰瘦背痛，畏冷怕熱，又得把每日最好時光用來工作，應付人事，還有，屋頂會漏水，電器要更換，傭人突然辭工……不知多受折磨。

現實真討厭。

還有飛機會誤點。

宗亮咕噥：「索性永遠住在候機室也好。」

可愛的歐洲卻不氣餒，買來一雙白襪及一盒彩色箱頭筆，在襪頭畫成臉譜，

套在手上，忽然變掌中木偶，一個濃眉大眼，嘴唇抿一線，分明是周宗亮，另一個仍然是明媚的紀歐洲。

幾乎立刻有幼兒圍坐笑嘻嘻等好戲上場。

歐洲把兩手藏在宗亮肩上，開始朗誦兒童詩篇，男女木偶一人一句：「請勿傷害生物：甲蟲、或蝴蝶、或是粉蛾，或是鳴蟋，跳躍草蜢、蜉蝣，或軟弱的毛蟲……」

家長感激地鼓掌。

孩子們歡呼：「再來一個！」

服務員笑說：「各位可以登機了！」

宗亮低聲說：「謝謝。」

歐洲脫下手上襪子。

宗亮伸出手：「給我。」

歐洲是天才，聊聊數筆，盡現神采，活脫就是周宗亮面譜，他珍惜地把襪子

摺好，收入胸口袋裏。

握住歐洲雙手，一直回到家。

才出飛機場，已看到陶樂妃站在那裏等他。

陶樂妃是將才，喜怒不盡露，但是今次明顯有點焦急，一見周宗亮，她立即走近，在他耳朵邊說了幾句。

宗亮變色。

他轉頭同歐洲說：「紀家有事，我讓司機先送你回去。」他親吻她額角。

周宗亮隨陶樂妃上車。

宗亮即刻問：「紀媽知道沒有？」

「我與阿史都認為暫時不讓她知道為佳。」

「千萬別告訴她。」

宗亮問要冰水。

陶樂妃給他更好的冰凍啤酒。

宗亮咕嚕咕嚕喝下一瓶，才嘆口氣問：「怎麼會昏迷休克不醒！」

「亞洲做胃部結紮手術，一切順利，卻沒有醒轉，迄今已經兩日一夜。」

「對不起我沒帶電話。」

「不關你事，叫你去是安撫美洲。」

「王青雲呢。」

「整天在病床邊，不眠不休，沒離開過。」

「醫生怎麼說？」

「醫生找不到原因，待她自動甦醒。」

「荒謬！」

「已經注射過各種喚醒腦神經藥物——」

「什麼時候才會醒轉？」

「或許今日，或許一年。」

「馬上叫阿史找同事起訴這間醫院！」

「阿史已打算這麼做。」

周宗亮一向愛惜嬌媚的大姨，心疼到淚流滿面。他揮拳打向車窗。

「你別這樣，那王先生也是一拳一拳打牆，手節紅腫流血。」

車子還未停穩，宗亮已跳下車奔上病房。

陶樂妃在背後叫：「三零八號房。」

推開門，美洲先抬頭，她面孔清腫，眼如雞蛋，面如土色，衣冠不整，像隻蓬頭鬼，一見宗亮，便緊緊抓住他的手臂，整個人軟倒地上。

宗亮目光轉向病人，這才明白什麼叫做奄奄一息。亞洲生命似被一條油絲吊著，臉色金紫，雙目緊閉，口鼻罩着氧氣，腕上搭滿管子，頭髮攏到腦後，平時最最最注意儀容一絲不苟的她，今日肉身隨由醫護人員擺佈，像一隻破娃娃，宗亮悲從中來，一手扶着美洲，一邊震驚地想到他朝吾體也相同，一旦失去知覺，就不能自主，四大皆空。

一剎那恐懼、憤怒、悲哀……齊齊似利刃襲進胸口，他提高聲音：「王青雲

那廝呢？」

美洲伸手一指，宗亮才發覺病房角落蹲着一個黑衣人，他頭深深埋進雙膝，手捧着頭顱，縮得不能再縮，一邊飲泣。

宗亮不認得他。

一夜之間他老了十年。

宗亮見他如此悲慘，更如火上烹油，他破口大罵：「你這dipshit，一生只管吃喝嫖賭，娶得美妻，自私自利，仍不知足，你不珍惜她，你不愛護她，你糟蹋浪費她廿年寶貴時間，你傷盡她心，你叫她自信自尊盡失，她表面上不做出來，心底開始嫌棄自己，不停進出整容所，想重新做人，行嗎，可以嗎？她還找得到新伴侶？她已過生育年齡，誰還願與她組織新家？我巴不得一刀殺死你這不知感恩的癟三！」

宗亮額上青筋畢露，從不提高聲音講話的他怒極忽然咆哮，不但如此，他走近舉腳踢蹭在地上的王青雲，狠狠地一腿接一腿，但王沒有絲毫反抗。

美洲嚇呆，動彈不得。

醫護人員聽見巨響，趕進來按住周宗亮。

「這是醫院，請你控制。」

這時輪到王青雲跳起，他搥着胸口大聲嚎哭：「亞洲，是我錯，宗亮講得對，我是垃圾，我配不起你，我也對不起你，這是上天對我的懲罰，亞洲，」他撲到昏迷病人身上，「你若醒來，我用餘生贖罪，我再也不離你半步……」

看護又得把這個瘋子拉開，替他注射。

王青雲滾在地上號啕。

宗亮罵：「你怎樣向紀嫣交代？」

正鬧得不可開交，一個看護忽然說：「病人的手動了一下，病人有知覺，快叫醫生，快！」

美洲崩潰在椅子上。

宗亮發愣，莫非是他倆洪亮吵鬧聲震醒病人，剎那間病房靜得死寂。

醫生進來，沉聲斥責：「你們幾歲，三歲？」

他探近病人，忽然面有喜色，他檢查儀表上曲線，鬆一口氣。

然後轉頭，「把這班人攆出病房。」

看護幾乎又推又拉才把他們趕出。

美洲申辯：「我沒出聲——」

「出去！」

王青雲一拐一拐眼淚鼻涕走前頭。

他們出來看到陶樂妃，這可人兒遞上凍毛巾及冰咖啡。

美洲邊飲泣邊讓陶樂妃替她拭臉。

醫生出來說：「病人醒轉，生命指數尚可，不過，不准進去吵鬧，她需要休息。」一停一停，「這可是個奇蹟，你們需要珍惜。」

他們忙不迭點頭。

陶樂妃急忙中問一句：「病人可說話否？」

醫生說：「她有言語，誰叫阿美利？」

美洲舉手。

「你明早或可見她。」

看護咕噥：「從未見過這樣粗暴的一家人。」

陶樂妃忍不住咧開嘴，平時，他們紀家最斯文，人家踩到他們，他們還忙不迭說對不起。

他們站着不知所措，陶樂妃溫柔地說：「各人回家梳洗，明早再來。」

王青雲嗚咽，「我不走。」

美洲白他一眼，「亞洲已甦醒，一張眼只看到兩個野人，不大好吧。」

宗亮說：「我倆去理髮。」

他拉着青雲走。

美洲待難兄難弟離去，輕輕問陶樂妃：「他去了何處，身邊可有什麼人？」

陶樂妃回答：「我沒見到。」

美洲別過頭，嘆口氣。

在理髮店，宗亮說：「平等，鬚剃淨，他也是。」

王青雲並無異議，他一味喃喃說：「醒了，上天給我二次機會，我要好好珍惜。」

宗亮給歐洲打電話，沒人接聽。

青雲又說：「如果她願意，我們還來得及生孩子，我們子女，要比紐子更漂亮。」

失心瘋。

回到家，發覺司機已把行李送到。

他打開旅行袋，一股陽光氣息及葡萄味迎面而來，他都不捨得洗。

歐洲問工人：「可要幫腳踩葡萄？」

工人笑着回答都用各種不銹鋼器具蒸榨，不過為着討她歡喜，找來一隻木桶，丟下蘇維濃葡萄，讓她踩個夠，她一邊吃葡萄，「酸，噫」，一邊拚命踏，

濺得全身汁液……

歐洲是野孩子。

他把外衣裏袋兩隻畫着人面的襪子取出，學着歐洲那樣，教它們說話：「你去了何處，我想念你」，「才下飛機罷了」，「我也不知為何……」然後，讓它們噗噗親吻。

他笑自己癡心中年。

宗亮把襪子珍藏。

他寄電郵給歐洲，然後睡着。

跳起來已七點，連忙淋浴更衣，先往公司報到。

與同事們早餐會議，再看過文件，已經九點。

陶樂妃找他：「大小姐精神尚可，找你說話。」

他丟下工作趕到醫院。

美洲略為打扮，看得出瘦許多，是次打擊非同小可。

宗亮過去緊緊摟住她。

「宗，這次多謝你。」

宗亮答：「還說這些，大家萬幸。」

「幸虧沒告訴媽媽。」

宗亮點頭。

他一個人進房，看到王青雲蹲在床邊。

亞洲醒轉，整張臉陷下，枕頭上佈滿掉下髮絲，這美人這下子落形，不知何日才補得回。

「亞細亞。」宗亮輕輕喚她。

聲線如蚊子：「宗亮，昨日嘩啦嘩啦的可是你？」

宗亮點頭。

「多得你為我出氣，不枉我一直疼你如親弟。」

宗亮握亞洲手放嘴邊，她輕輕摸他臉。

「今日女人都不幫女人，何況是男人，多謝你。」

「亞姐你好好休息復元。」

「為減肥做胃部結紮手術而昏迷不醒，笑死人。」

「誰敢笑要過我這關。」

「宗亮——」

「在這裏。」

「宗亮，美洲那裏已經裝修妥當，留了五百多平方呎空間給你，你去看看。」

「亞洲，你且先顧自己。」

這時看護在他身後說：「讓病人休息。」

亞洲輕嘆一聲。

王青雲仍蹲着不動，這次他倒言出必行。

宗亮回到美洲身邊，這樣說：「大家可以放心了。」

美洲低頭不語，隔一會才說：「宗，要不要回家？」

周宗亮再也想不到美洲會低聲下氣懇求，但是他心意已決，硬心腸說：「我現在就可以。」

美洲低下頭。

她嫌他不懂討好女性，性格陰柔，昨天他大發脾氣，又罵又打王青雲，為亞洲出氣，盡顯男子氣概，不由美洲刮目相看，周宗亮離家才三兩個月，就判若二人，看樣子，是她的錯。

她緩緩落淚。

「紐子暑假會回來。」

「知道了。」宗亮說：「我會一直在公司。」

然後，頭也不回的離去。

歐洲仍然沒有覆電。

又過一整天，還是沒音訊，宗亮坐立不安，找上門去。

歐洲不在家，可是有搬運工人正把畫作打包，像是要運去外埠樣子。

宗亮掀開帆布，正是已完成的兩人合作。

他追問傭人：「小姐呢。」

傭人訝異：「周先生，歐洲昨晨出發到首爾探母親去了。」

宗亮一怔，「可有留言？」

「沒有，你不知道嗎？」

「畫呢，運往何處？」

「搬到學校，這是她大考作品，歐洲畢業了。」

宗亮的心咚一聲跌到腳底。

走了。

「明早叫我在這裏等，有人會來看房子。」

「誰吩咐你這麼做？」

「史律師。」

宗亮變色，他是最後知道那個。

可恨的史怪。

可是周宗亮沒有即刻去找史一德。

他沉着工作，自嘲是一副數字機器的他非得把度假時欠下工夫趕出，每個同事客戶都得安撫幾句。

但是無時不刻，周宗亮都聽到身邊有一把小小聲音：歐洲沒說再見就走了，沒留下新址，不聽電話，還出售舊居。

那一星期甜蜜假期，像綺夢一般消失在薔薇色晨曦裏。

他閉上雙目便可看到歐洲兩腮染滿酒紅色葡萄汁愛嬌模樣。

她赤足走來走去，鈎破皮流血，他替她黏膠布……如果有一個女兒，會一樣縱容她否？

又歐洲假使真願委身下嫁，他餘生可有時間精力服侍她？

宗亮越想越心酸。

傍晚，眾人都下了班，有人敲辦公室門。

宗亮抬頭，原來是大眼睛偵探陳禾。

「陳小姐，請坐。」

「我只需要十分鐘。」

「不要客氣，什麼事？」

陳禾答：「周先生，我來向你辭職。」

宗亮訝異，脫口而出：「誰難為你？」

陳偵探有點感動，「周先生真善解人意，我們這份工作，不外是探人私隱，抓人痛腳，十分腌臢。」

周宗亮不出聲，他也曾請陳偵探查探美洲。

「周先生，實不相瞞，我想辭工後繼續讀書。」

她遞上辭職信。

「你是去讀法律吧。」

「什麼都瞞不過你的法眼。」

宗亮苦笑，「陳禾，我像所有亮眼瞎子，丈八燈台，照見人家，照不見自己。」

陳禾說：「請你批准。」

「你去會計部領一年獎金。」

宗亮批她辭工。

陳禾吐出一口氣，「無職一身輕，我已不是職員，有話可以直說。」

她想說什麼？

「周先生，過去那個星期，你在法國羅朗，我也在該處，多次與你在石板街上迎面相逢，你沒察覺。」

宗亮睜大雙眼看住她。

「紀老太太叫我跟着你們。」

她老人家？

「我拍攝一些照片給她，我猜想她很快會有所行動。」

「我已經與紀美洲離婚，男婚女嫁，各無干係。」

「我也那麼想，可是史律師問我要了底片去。」

又是史奸。

陳禾說：「那些照片，是我拍得最好一輯，隨時可以拿去做時裝或旅遊廣告圖片，你放心，真情永不猥瑣。」

宗亮啼笑皆非。

「周先生，今午我才得悉，紀歐洲已離開本市。」

電光石火之間，周宗亮忽然明白，紀老太的打擊目標不是他，而是歐洲。

「這件事詳情，史一德會清楚。」

宗亮忽然生氣，「這隻出賣朋友的豬，cochon！」

陶樂妃在門畔出現，「周，你學會罵人，越罵越起勁，不是好現象。」

「你當然幫着他。」

沒想到史一德就在門口。
「宗，我也向你辭職。」
宗亮氣結，「你呢，et tu，陶樂妃？」
「我倆決定請辭。」
這時陳禾站起，「這裏沒我事，我先走，再見。」
宗亮沉聲說：「你們都出賣我，因為我在公司裏亦不過是一個伙計。」
陶樂妃說：「宗亮——」
「幾時輪到你說話？」
陶樂妃一怔，「好，我出去。」
宗亮吼：「不准辭職，你有合約在身！」
辦公室裏只剩周宗亮與史豬。
周冷冷盯着他，「你有話說？」
「宗亮，我警告你多少次，你在做夢，人家二十歲，你是她一倍四十歲，她

只比紐子大幾年，你喜嫩口、稚女，無可厚非，但她是親眷。」

「你們做了些什麼惡毒的事逼她離開本市？」

史一德把一隻小小錄像機放桌上。

宗亮光火，一掌把它掃到地下，「誰同你玩間諜遊戲？」

史一德不生氣，拾起錄映，把映像播放到牆壁。

周宗亮再一次要揮手，被史一德按住，「周，你理智去了何處，你的學養修養丟到爪哇國？」

他索性把攝影機接駁到手提電腦，逼宗亮看實熒屏。

畫面出現。

出乎意料之外，紀太太穿便裝，她紆尊降貴，去到歐洲的家。

而歐洲身上是一條小小白裙，明顯是舊衣，有點窄，胸前綳緊，說不出誘惑。

兩個女子，一老一少，臉色都相當難看，眼神悲愴，僵一會，是紀太太先啟

口。

她開門見山，「閒話我不說了，我想請你遠離我外孫周鈕的父親周宗亮，你提出條件吧。」

原來如此！

宗亮面孔漲紅，拒絕她，歐洲，拒絕她！

歐洲沒有說話。

「兩家的糾纏，到今日，也已經夠了。」

紀太太臉上有按捺不住的厭惡。

這時，史一德走近歐洲，在她身邊說幾句。

歐洲低聲回話。

史一德在白紙上寫一個數目，以及一個匯款號碼，他輕輕提醒紀太太：「是美元。」

紀太太一看，沉聲答：「你並不是一個孩子，你要遵守諾言，否則，我也會

不客氣。」

歐洲忽然又對史律師說幾句。

「歐洲！」

歐洲固執，別轉頭。

史一德無奈對紀太太說：「歐洲還想要法國羅朗那間度假屋。」

這話一出，宗亮淚盈於睫。

而紀太太露出詫異之色，她不虧見多識廣，知道一定要快刀斬亂麻，她高聲答應：「好，照你意思辦，史律師，法律上一切規則交給你了，請於二十四小時內辦妥。」

史一德答應一聲。

畫面到此為止。

宗亮四肢完全不能動彈，幾乎癱瘓。

史一德痛心地說：「你一片丹心照在什麼地方？你看人家多聰敏，不加思

索，拿個好價，把你賣到津巴布韋，你還做夢。」

宗亮沉默。

「你這人學藝不精，毋須怨天尤人，紀太太討厭她們母女，已到不惜代價也要叫她倆在面前消失地步——」

周宗亮忽爾大叫一聲，不知何處來的力氣，他撲到史一德身上，把他推到地上，一拳拳打他，一邊像個小孩般痛哭。

史一德鼻子噴血，大力還擊，「救人，救命！」

眾同事一湧而入，大力的幾個奮力拉開他倆。

宗亮搖晃兩下站穩，深深吸進一口氣，忽有頓悟，頭也不回的走出工作廿年的證券行。

他衣冠不整地一直走一直走。

從街上下意識地走進一幢大廈，看到電梯，入內，按某個字，然後，在走廊站住。

這是何處？

那麼大一個男人，竟被小毛女搞得魂飛魄散。

他呆呆站在玻璃門前。

忽然有人推門出來，「是周先生，快請醫生。」

什麼，他不知不覺竟走到米醫生的診所來。

只見米丰忽忽走出，「哎呀」一聲扶住他。

宗亮哽咽。

米丰把他扶進診所，吩咐助手斟水取藥。

宗亮看到那張藍色絲絨沙發，賓至如歸，二話不說，往下就倒。

米丰見他身上有血跡，忙不迭脫他衣裳，叫助手拉下他褲子鞋襪，宗亮也不反抗。

兩個年輕女子把他脫剩內褲，他響起輕微鼻鼾，受鎮靜藥物影響，周宗亮已安然入睡。

米丰見他身上沒有傷痕，安下心來，在他紅腫雙拳上敷藥。

助手只見他赤裸肌膚上無處不是長軟體毛，不禁駭笑，她失態伸手撫摸，被米丰眼神鎮住，立刻臉紅縮手出房。

米丰用薄毯子輕輕罩住周宗亮。

在他身邊坐半晌，她撥理他的頭髮。

這個英俊男子時鬧情緒病，這回不知為着什麼，多日不見，他情況似乎又嚴峻些。

助手敲門，「醫生，黃太太來了。」

米丰到鄰房應診。

周宗亮這一覺睡到晚上八時。

他被肚子咕嚕咕嚕聲叫醒，坐起，發覺身上只有內褲，他呆呆不知所措，認得是米醫生診所，但不記得如何闖進。

把心理醫生診所當作時鐘酒店，真是大逆不道。

秀麗的米醫生敲門進來，給他一杯熱咖啡。

宗亮揉揉眼睛，道謝。

米丰看着他寬厚雙肩，漂亮肌肉，心想，每朝起床，可以看到這樣英偉男伴，吃苦也值得。

沒想到周宗亮還挺詼諧：「都看過了？」

米丰微微笑：「全相。」

宗亮說：「那也好，以後盡可大大方方做人。」

「我送你回家。」

他忽然像賭氣幼兒，「我不回家。」

米丰攤攤手，「這裏沒有淋浴設備，也無替換衣服。」

「租住酒店。」

「目前你的心理狀況不宜去酒店。」

「那麼，」宗亮使蠻，「你收留我，我去你家。」

米丰一怔，她有點心酸，她喜歡他不止一日兩日，本來，聽到這種條款求之不得，可是，他已經許久沒來，並且，她已經開解自己：也許周宗亮這人已在她生命裏消失，偏偏他又突然現身，叫她為難。

米丰問自己：喜歡嗎？當然，朝思暮想，那麼，還顧什麼自尊呢，她輕輕說：「好，穿上衣服，跟我走。」

染血襯衫丟進垃圾筒，光套外衣。

「同情敵打架？」

「最好的朋友，他出賣我，公司律師，廿年知己。」

「那也不表示可以痛毆他。」

他垂頭：「你說的對。」

米丰用小小房車載宗亮回公寓。

那是一幢寬大舊屋，一進門就覺風涼，大露台還用所謂意大利批蕩，時光回流到上世紀五十年代。

大廳左角漏水，女主人幽默，索性在那裏放一株高大老鐵樹，那就是她的家居辦公室，四處都是書報雜誌文件，一隻玳瑁貓悄悄走近。

「叫什麼名字？」

「叫旺財，隔壁林家的貓，時時跳露台過來玩。」

啊。

「浴室在那邊，請自便，客房在走廊底，我煮了雞粥，你可要一嚐？」

宗亮先沐浴，意外看到乾淨替換衣服，是那種老式利工民棉衫與孖煙囱褲，他穿上，倦得說不出話，一到客房，看到雪白小床，栽下身子再睡。

米手張望他。

這個高大男子心靈如幼童，他的表現，分明是失戀的急痛，可是，人過了廿一歲還會失戀，簡直不可原宥，不值得同情。

她回到大書桌面前寫報告。

凌晨，宗亮醒轉，以為米手已經休息，可是沒有。她架着近視眼鏡仍

伏案苦幹。

宗亮很喜歡看女子工作，她們專注，勤工，耐勞不下男子，一定要好好擅加利用她們的勞動力，社會才有進步。

「咦，起來了，我盛粥給你。」像老朋友那樣。

她用大淺碗盛半涼粥給宗亮喝。

「唔，」宗亮識貨。

米手高興，「手藝還可以吧。」

「可以開粥店做生意。」

「宗亮，不回家不行。」

「我想借你電腦，我已決定辭工，自立門戶。」

「那同回家有何干係？」

「我不想他們找我。」

「紐子呢？」

「紐子心中只有功課與球賽。」

「你愛耽多久隨你。」

「謝謝你米丰。」

「我願意聆聽你心事。」

「我卻不再願傾訴。」

露台上有夜來香獨有香氣，宗亮在那裏站良久。

米丰站在他背後，宗亮轉過頭，看到她娟秀五官，心頭一寬。

他借用電腦，草擬幾封信，一一電傳。

才清晨七時，陶樂妃回郵已經傳至：「周先生，懇請撥冗面談，並請指導如何向紀太太交代。」

周宗亮：「我另有信去紀太太處。」

「周先生，你氣下了請與我聯絡。」

「一切已交代清楚，請勿再來電。」

「周先生……」

宗亮切斷電郵。

陶樂妃頓足。

史一德勸她：「誰沒有誰不行？」

「這人原來像慣壞的小孩。」

史一德揉着青腫瘀黑的眼圈及下顎，悻悻然，「被諸人寵壞，我長得略醜，只得捱打。」

「阿德——」

史一德被女友這樣柔聲喚名，心也軟了。

「陳偵探查到他躲在這個地址，有事你可找他。」

「這是什麼地方？」

「一個漂亮女醫生的家。」

「我不信。」

「親愛的，你們把周宗亮看得太單純，他什麼年紀，什麼身份，你們母愛氾濫，只覺他憂鬱可愛，一直是受害人，遊戲，是一場遊戲！他即使受到微絲傷害，也不會放棄生活樂趣。」

陶樂妃發獃。

第二早回到公司，她看到紀美洲坐在周宗亮的房間裏點名逐個見同事，才八點鐘，她已經展開工作，看到陶樂妃，她說：「掩上門，坐。」

陶樂妃坐下。

美洲喝口咖啡，又為她斟一杯，無奈地說：「宗亮無故離職失踪，我只得他一個電郵號碼，我多怕你也跟隨他走。」

「我有合約。」

「史律師答允幫我，希望你也與公司續約兩年，陶小姐，周宗亮打算到大學教書，用不到你。」

陶樂妃一怔，漸漸鬆弛。

「誰能怪他，比起證券行，學堂雅靜如修道院，他渴望轉變環境。」

「你明日回覆我不遲，還有，王青雲也會回公司，他順便照顧妻子。」

陶樂妃覺得公司管理像玩音樂椅子，你走開他來坐下，席無虛設。

她吁出一口氣。

「陶小姐，公司有你們這班功臣是福氣，人事部會與你談條件，你有要求，不妨此刻提出。」

陶樂妃想一想：「每朝擠車——」

「公司派司機接送。」

「住所擠逼——」

「你與阿史就快結婚，公司會有安排。」

「謝謝二小姐。」

「周鈕快回來過暑假兼做見習，勞駕好好教他。」

「明白。」

過兩日，陶樂妃去探訪周宗亮。

他出來啟門。

「方便進來否？」

「這不是我家。」

「我借十分鐘。」

裏邊有女聲說：「請進，周的朋友即我之友。」

陶樂妃心想：誰要與閣下為友。

可是看到女醫生盈盈笑臉，不由得代周宗亮慶幸，他新女友大方娟秀，一臉書卷氣，惹人好感。

「我去做咖啡。」

「不敢當，米醫生，我是公司助手，說幾句話就走。」

宗亮站起，「我來做。」

捧着茶點出去，聽見她們在談女性話題：「你那麼清瘦，怎樣擇食？」「我至愛吃漢堡薯條，只不過工作忙，不易長肉」，「辦公室在十二樓，我走樓梯當運動」，「高明，汽水無論如何不能喝」……兩人都很得體。

陶樂妃交代一些事宜。

周宗亮答：「你把文件放下我會簽署。」

隔一會他問：「大小姐身體好否？」

「瘦許多，不比從前豐碩圓潤，皮膚較乾，頭髮落了一半，幸虧醫生說休養會有幫助。」

「王青雲呢。」

「呵他像變了一個人，在大小姐身邊寸步不離，叫人感動。」

宗亮不置信，「他？」

陶樂妃不再多言。

「史廝呢。」

「周先生還不原諒他。」

「我是看你份上。」

「下個月我們結婚。」

宗亮訝異：「在何處請客度蜜月？」

「我們只是註冊，沒有其他儀式。」

「你願意？」

「是我主意。」

米手忽然插嘴，「那多好，越來越多友人表示私事簡約才好。」

陶樂妃說：「有朋友說一旦駕返瑤池，不公佈不擺設。」

宗亮沉默，現在女子越發灑脫，原來牽牽絆絆是他這個中年漢。

陶樂妃站起，「我告辭了，打擾。」

她打量今日的周宗亮：鬆牛仔褲捲起一大截，人字拖，肌肉恤，一臉于思。

她忍不住倚熟賣熟地推他一下，「你去教書？不知多少女生遭殃。」

宗亮知道這大概是溢美之詞，不禁苦笑。

他送她到門口，轉過頭，看到米丰，「謝謝你招呼我朋友，米醫生。」語氣由衷。

米丰靠近，指指面頰。

宗亮微笑，把住她肩膀，去吻她小臉，誰知她迅速轉頭迎上嘴，印在宗亮唇上。

這樣主動，叫宗亮心悸。

她深深吻他，然後，把他按在沙發，緊緊抱住。

他不禁在米丰耳邊輕輕說：「我是一個有包袱的男人。」

米丰雙臂卻箍緊些。

「只怕你會失望。」

又更緊些。

「我虛有其表。」

宗亮聽到米手咕地一聲笑，他被她感染，也笑出來。

在旁人看來，他倆已經同居，他卻還在謙讓。

過兩日，宗亮回老家收拾。

他約了陶樂妃。

她因聰敏智慧成為他們管家，當下說：「一年多搬了兩次，許多大紙箱尚未拆開。」

「依你說怎麼辦？」

「統統丟掉，我保證你一輩子不會打開。」

宗亮走到臥室，打開抽屜，取出一隻扁盒，鄭重收入口袋。

「如果不捨得，可假裝它們仍在貯藏室。」

宗亮按一按胸口，該處還有隱隱疼痛，他找張椅子坐下不出聲。

「我去看過你新址，太小，不行，會委屈米醫生。」

宗亮低聲說：「我們不是同居，我一個人住。」

「什麼？」

「我亦沒有絲毫再婚的意思。」

「周先生！」陶樂妃這才知道她遇見肯結婚的史一德是多麼幸運一件事。

「米手是我的心理醫生，她會明白。」

「世上沒有女子會理解你這個人，周先生。」

「你口氣恩威並重開始像紀太太。」

「你不可佔米醫生便宜。」

「所以才搬出住。」

「以後打算維持什麼樣關係？」

宗亮不由得生氣，「你是什麼人？一年前你不過是辦公室跑腿，今日忽然變成家長，你吃錯何種類固醇？」

陶樂妃忿然反問：「我們不是朋友？」

「你是史蟲的女人，不，我們不是朋友。」

「你返老回童了你。」

可是陶管家還是幫他搬妥家，光是替他把所有電器用具接上就花大半天。

到紀家她輕輕訴苦：「周先生對生活細節一無所知，也沒有興趣學習，若不幫他，他會做穴居人。」

沒想到美洲會笑得彎腰，廿年辛酸，她怎會不知。

陶管家又說：「幸虧史一德愛勞作，他簡直是魯濱遜，流落荒島也不怕，換插座龍頭燈泡全難不倒他。」

半晌，美洲問：「那女醫可漂亮？」

「非常秀麗。」

「多大年紀？」

「三十出頭。」

美洲感喟：「想必比我們姐妹聰明。」

「還有一位紀小姐我沒見過，想必數她最精靈。」

亞洲說：「我就是欣賞陶管家明人之前不說暗話，來，可愛的陶樂妃，看我禿頂上頭髮長回沒有。」

陶樂妃走近一看，不加思索說：「都茸茸長回。」

大家都笑。

亞洲問妹妹：「阿美，聽說最近你追求者眾。」

美洲坦白答：「自從爸辭世，宗亮離職，約會忽然多起來，是覬覦着證券行那個總經理位置吧。」

「人心叵測。」

美洲說：「其實，宗亮也是那般出身。」

亞洲即時反對，「宗亮怎麼一樣！他為公司出死力，拚老命，所以老爸給他廿個巴仙，倒是王青雲，忽然回心轉意，洗心革面，他才貪圖公司地位，他同我分手出去一年，投資失敗，眾離親散，眼前無路方思回頭，鬼才誤為他感情豐富。」

紀太太嘆口氣，「凡事想得那麼透徹，做人有什麼樂趣。」

大家又一次笑。

「來，我們出外購置新裝。」

陶樂妃答：「恕我失陪，我要回公司，史一德要我記住自身是勞動婦女。」

美洲笑答：「我們一起回辦公室。」

在路上她悄悄問：「周宗亮快樂否。」

「過得去。」

「他愛米醫生否。」

「史一德說，周先生一直喜歡主動的女子。」

「醫生相信對生活一絲不苟。」

「米醫生不錯凡事井井有條。」

「那還不同我一樣，甚至過之。」

「但是，周先生說，他管他邋遢，米醫生從不理他，亦不指使他如此這般，

他倆各有各工作，並非天天見面，堪稱相敬如賓。」

美洲酸溜溜，「確是比我聰明。」

「聽說二小姐你已在離婚書上簽名。」

美洲黯然，「他不願回來。」

「男人不如女性宏量。」

「陶顧問，那票送花送糕點到公司的男人，那一個值得約會？」

陶管家一向清心直說，脾性與她夫婿阿史相似，幸虧社會民智已開，她的坦誠得到欣賞，她這樣說：「有妻室的不必了，子女尚小，也算數，送紅玫瑰者，大可不理……」

美洲駭笑。

「有人送小小束紫羅蘭，那是誰？」

「周宗亮。」

「什麼？」

「他還記得各人生辰之類。」

「周先生真是一個可愛的男人。」

紀美洲牽牽嘴角,「那是因為你不是他妻子。」

陶女士噤聲。

這是真的,旁人哪裏知道。

她也是最近才看到史一德會在深夜獨坐書房在電腦記錄上把所有財產數一遍,然後到廚房做一客漢堡肉加大量番茄醬滿足吃下。

陶樂妃佯裝沒看見,當什麼也沒發生,不聞不問,可是內心也擔憂史一德不知會否在雨夜穿上雨衣帶着利刃外出。

幸虧,他也不知她在本市各大銀行一共擁有七隻保管箱,夫妻之道在誠心誠意地你虞我詐,出發點全為對方。

她忍不住笑出聲。

周宗亮快樂否,他自己也答不上來。

男人到中年，還沒有一兩個女友，那是說不過去，枉度半生的事：壽限已屆，時日無多。

米丰是那樣喜歡他，有時他仰睡，她會用手指輕輕上下撫摸他喉結，像那種第一次接觸男性身體機能的小女生。

她又特別戀戀他耳殼，「宗亮，你一切都長得完美，你要記得多謝你爸媽。」

她彷彿看不到他那些顯著的缺點。

學期開始，周宗亮終於把結婚指環脫下。

他任客座，教宏觀經濟學。

課室擠滿女生。

米丰一日接他，只見周宗亮打扮與他的男學生差不多，鬆卡其褲白襯衫，他多件外套，髮長鬚長。

可是，女生就不同，有好幾個只穿小背心及短褲，可是配及膝長靴，冷暖自

知。

圍着周講師，她們像嗒糖，斜斜站着不住用手指撥頭髮，這就叫搔首弄姿。

米手問自己：值得嗎，這是一個高維修男子，時時事事要小心侍候着。

宗亮走近，從胸襟袋取出一束藍色毋忘我交到她手裏，米手只得笑，呵值得。

「去何處？」

「回家，我們一起做海皇湯吃。」

宗亮獨個兒時照例一臉陰霾。

一日，校務處知會有人找他。

他出去接待處一看，原來是史一德。

史主動招呼：「是我，史蛇，都一年了，你氣平了沒有。」

「對不起史鼠。」

「我也抱歉，周蟻。」

兩人坐下，一起苦笑。

半晌周宗亮問：「那次打架沒傷到你吧。」

史十分諷刺：「多虧你留力。」

「找我何事？」

「我只是跑腿，特來知會一聲：周鈕下週返來實習。」

「啊。」

「還有，給你帶來新消息。」

他取出一隻公文袋放桌上。

「是什麼？」

「紀三小姐的近況。」

「我不想知道。」

「呵，」史一德揶揄：「那我回收。」

他一手收回公文袋。

史一德不知周宗亮心已死，還同他開這種玩笑。

他一抬頭，看到宗亮平時晶亮閃爍的雙目像褪了色一般，不禁躊躇。

他又把淡黃色公文袋放在枱角，輕輕離去。

半晌，眾同事都吃午餐去，只剩他一人，周宗亮輕輕啟開信殼，取出內容。

一張照片彈入他眼簾，他的膝蓋軟了一下。

那是歐洲不錯，她穿絕無品味的超短褲，三件不同深淺的藍色背心套在一起，雙手撐腰。

她似笑非笑盯着鏡頭，短髮像被大風吹過。

是那挑釁眼色還是一雙修長玉腿？

連照片的還有一篇上月一號刊登的訪問，用韓文寫成，阿史不知叫誰譯為英語。

記者也這樣說：「不不，不是因為歐洲小姐的年輕貌美，而是因為她作品超卓，淡淡色彩繪出少女幼稚但姣好對異性憧憬，圖中是她理想中伴侶，她說，溫

文英軒，正好平衡她本人的不羈任性……」

宗亮眼前漸漸模糊。

歐洲站在她作品前邊，被記者譽為天才美少女。

「歐洲小姐身世恍如公主，自幼被富裕家庭栽培成為藝術家，父親逝世後承繼法國南部莊園，作為藝術創作靈感之地……」

一切都經過謹慎藝術加工。

也不能說是失實，歐洲的確擁藝術天份，她真實是紀老親女，承繼豐富產業，畫中肖像，曾經一度，與她相愛。

宗亮打開鎖着的抽屜，取出那兩隻畫着面譜的白襪，在手中把玩許久，終於又放回抽屜，重新鎖好。

他嘴角帶一絲苦笑。

被一隻木偶誘惑玩弄了。

也許有許多中年男子會大力搥胸吶喊：「玩我吧，那麼年輕漂亮，懇請玩死

我吧。」

周宗亮把照片與訪問收回公文袋。

他撥電話給米丰：「我情緒異常低落，需要米醫生開導，請即丟下那些無病呻吟病人，來診治真正有需要患者。」

米丰笑得彎腰。

周鈕回來度假。

紀家似天上掉下金元寶。

紀媽恢復生機：「魚不可整條蒸，外國長大的孩子看到魚頭會驚怕，做炸魚塊好了，他的衫褲不要熨，他們流行皺布，球鞋發臭，可用除味劑……」無微不至。

美洲輕輕說：「我們都變成老舊垃圾。」

王青雲忽然發佈驚人消息：「亞洲懷着一對孿生子，明年三月生產。」

紀媽睜大雙眼，接着用手掩住嘴巴，美洲爭着問：「真？假？亞洲你已屆

四十四高齡，怎麼拿性命開玩笑！」

亞洲十分鎮靜，「著名婦科鄧醫生說：最高紀錄是四十九，我不過屬中位數，只需靜心休養，小心飲食，注意血壓，屆時剖腹生產，並無困難。」

紀媽樂得不停自大廳一頭走到另外一頭，自言自語：「找保母、買嬰兒用品，哎喲，有你的就是有你的，是你的總是你的，命中有時終需有。」

宗亮只覺得女性一味愚勇。

即使一切順利，亞洲也不知要吃多少苦。

他吁出一口氣。

那王青雲打鐵趁熱，大聲問宗亮：「你妒忌？」

宗亮點點頭：「不過我喜女嬰，聽見她們叫爹爹，整個人溶化。」

「亞洲，我們接着再生一雙女嬰。」

紀媽忽然想起：「叫什麼名字，嗄，叫什麼？」

稍遲，紀家女人在書房商討育嬰大計，男人在圖畫室聊天。

王青雲看着周鈕，「長得同你爸一般書卷氣。」

紐子微笑，「我最不明白這個形容詞，我愛打球，不甚讀書，何來書卷氣。」

周鈕笑，「沒有美女。」

「到公司看過，第一印象如何？」

「什麼話！」

「新生代，請問，怎樣算美女？」

「喂喂喂，周鈕尚未成年，不宜談這種話題。」

周鈕卻笑，「等到十八歲，那還不憋死。」

王青雲大驚：「紐子，當心，不要令少女傷心。」

周宗亮沒好氣，「別聽這人巫道，他一生只管劫財劫色。」

「你說誰，嗄？」

小紐子卻說：「各人主觀喜歡的美女不一樣。」

王青雲答：「也不是，夫子說：『不識子都之驕者，乃無目者也。』」

紐子還是微笑，「但是我不喜永遠濃粧無汗的淑女。」

這時，宗亮的右下肋骨忽然刺痛一下。

「我喜邀請女生到陽光下運動，她們唇上積着汗珠之際最可愛。」

王青雲說：「噫，紐子你已是高手。」

紐子聳聳肩。

宗亮不出聲。

那天傍晚，他到醫務所接米丰，其他人等早已下班。

她坐在寫字枱後，架着金絲邊眼鏡，他往絲絨沙發躺下，嘆口氣：「紐子已經長大，真快，我清晰記得他粉紅小小肉團似躲我懷抱裏哭泣。」

他沒有抬頭，覺得米丰輕輕走近。

宗亮抬頭，愣住，只見娟秀的米醫生戴着眼鏡手持文件一本正經，可是，她身上只有白袍及血紅色蠶絲內衣與金色高跟鞋。

她輕輕說：「周先生，我是你主診醫生米手，你有什麼不舒服？」

連她本人都忍不住羞怯偷笑。

呵，周宗亮想：再不感動也不好算男人了，米醫生竟為他放下身段及所有架子純粹做一個討好取悅他的女伴，太可愛了。

「過來。」

米手一小步一小步輕輕走近，雪白胸脯隨碎步跌盪。

「脫掉鞋子。」

「不，成人電影女角都穿着鞋子。」

宗亮這時除出緊緊擁抱她之外，什麼都不想。

被愛真好。

被一個誠實可靠智慧美貌的女子所愛，更好。

可是，這些日子過去，他仍然沒有求婚的意願。

米手絕不催他，她忙得不可開交，一月內往北美洲及歐洲開會三次。

他倆仍然分開住，他那裏沒有她任何物件，他也不會把牙刷留在她處。

不過所有親友已把他們視作一對。

宗亮不可以沒有米丰。

時間多了，他喜歡逛附近小型有機農莊，選購蔬果打汁，每早喝上一大杯。

這一天，他短褲襯衫涼鞋，拖着米丰的手，不知什麼毛病發作，說什麼都不放，變成二人三手，再不方便，也只用左手掏錢付款取貨。

米丰任由他掙扎。

「看，」她發現：「那邊有許多幼兒。」

蔬果店主人笑說：「第十一區消防局舉行小型嘉年華會籌款，有多個遊戲攤位，又添抽獎活動，還有歌唱跳舞魔術節目，附近孩子們全來參加，你們也去看看。」

米丰輕輕說：「去。」

「喜歡幼兒？」

他倆朝七彩繽紛帳篷走近，可聽到孩子們笑喊聲。

他們穿着暴露裸着胖臂胖腿在陽光下奔跑嬉戲，大會裝置壓力噴泉，不定時射水，他們樂得像沒有明天，那麼簡單已經那麼開心。

宗亮笑，「你看他們一個個全胖得像小豬，這是不對的，肥嬰會變肥人，於健康無益。」

他們在長凳上坐好，宗亮把頭靠住米⺙肩背，舒適地吃冰淇淋。

米⺙說：「真難想像，我們也曾是幼兒。」

「嘿，我們還曾是胎胚呢，不可思議。」

「為什麼嬰兒長相如此可愛？」

「不好玩逗趣，誰耐煩含辛茹苦把他們養大。」

「那過程真是血腥可怖骯髒。」

「幼兒患病，父母如被摘去心肝，可是他們一點也不感恩，大了均十分忤逆。」

米手答：「所以，維持距離看看就好。」

宗亮看着她：「你不希望有孩子？」

「還未想過。」

這時一個小胖子忽然在草地摔跤，滿身泥巴，他不但沒哭，還哈哈大笑，米手說：「這個好，這個我不介意。」

好像可以自由挑選似。

另一個小女孩專心吸飲汽水，一抬頭，臉上畫着貓兒鬍鬚，原來遊樂場內有人幫幼兒畫臉譜。

周宗亮的心一動。

他目光四處搜索，找什麼？自己也說不上來。

忽然之間，四周圍雜聲漸漸消失，宗亮看到一頂黃藍紅三色大遮陽傘，傘下有人坐在小凳子上，她面前有一行孩子排隊輪候，她正用筆細細在他們臉上描花，雖然那把傘與他距離約三十碼，化灰他也認得，那渾身皮膚金棕色的短鬈髮

女子正是他心上人紀歐洲。

驀然相逢，周宗亮才醒悟，他何嘗有一分鐘忘記過她，她是他心頭上烙印，永不磨滅。

這時他緊緊抓住米丰左手，像遇溺者扯牢浮泡一般，米丰吃痛，她端詳他臉容，希望得到蛛絲馬跡，但是宗亮一片茫然，像迷失在另一世界。

是蜃樓吧，是他妄想得瘋了。

他凝神全神貫注，陽光叫他雙目刺痛。

那年輕女子輕輕移歪座位，搬到陰影下，免得曬到孩子，呵一點不錯，就是歐洲。

她穿短褲與人字拖鞋，纖細長腿盤着，手起筆落，在孩子面頰上畫上熊貓眼或是小花束，一個接一個，絕不停手。

她回來了，如常參與慈善活動。

不知凝視多久，時間與空間彷彿不再存在，宗亮心酸。

他輕輕吐出：「我們走吧。」

米丰憐愛地看牢她這情緒一如詩人的男伴，剛想陪他站起，他忽然又不動了。

周宗亮看到世上最可怕的景象：

不知從何處忽然鑽出一個俊朗青年，光着上身，赤足穿短褲，要插隊加入，他誇張地用手肘撐開孩子們打尖，那班幼童豈是好吃果子，當然擾攘，聯合起來，大力推開青年，吵成一堆。

結果要檔主出頭，喝令他站到一邊。

他倆分明早已相識，熟膩如膠如漆像蜜糖纏身。少年深諳調情之道，周宗亮當然認得他，那是他兒子周鈕。

周鈕！

紐子與扣子終於啪在一起。

周宗亮震撼，他全身血液似從腳底漏走。

「宗亮，你不舒服，是否太陽太猛？」

他一聲不響，靠在米丰肩上。

終於，周鈕得償所願，歐洲取起一枚橡皮圖章，忽忽沾上顏料，在他臉上打一個印，不知是白兔還是黑豬圖案。

他又雪雪呼痛，表示太過大力。

歐洲命令他不知做些什麼，他才走開。

他倆如何認識，她可知他是何人，她是故意挑釁，抑或純粹偶遇，周宗亮腦子一片空白。

半晌，只見周鈕回來，手裏捧着一盤十多杯冰淇淋蘇打，小童不記前仇，一湧而至，隊伍散開。

周鈕一手拉起歐洲，她只到高大的他肩膀，兩人騎上一輛小小偉士牌機車，離開遊樂場。

周宗亮緩緩站起。

他若無其事戴上鴨舌帽。

他的手心全是汗，但仍然不放開米手。

米手知道與宗亮在一起，一輩子都得服侍他喜怒無常飄忽的脾氣，不是一件容易事。

當下她輕輕撥歪宗亮的高鼻樑，在他嘴上輕輕吻一下。

迎面而來是另外一對年輕男女，一邊走一邊啜吻，只有那樣嬌嗲的她才配得起如此豪放的他。

米手發覺，她與周都已是上一代人物。

回到車上，宗亮終於鬆開手。

米手五指瘓軟，「今日你怎麼了，出來時好好的。」

宗亮卻想：要不管這件事，立刻回紀家召開家庭會議，要不，隨它去，因紀父的外遇，已經三代受損，再下去，不管他事。

但，紐子是他孩子，周宗亮雙手掩住面孔；若果紀母不是恨惡地拆散他與歐

洲，或許事情不致於演變到今日這樣，karma。

他倦容畢露，但心裏已下決定。

米丰溫柔地說：「由我開車。」

他忽然問：「米醫生，你可願意陪我外遊？」

「去何處？」

「天涯海角。」

「什麼時候動身？」

「即時。」

「沒問題。」她不加思索。

「你愛我。」

「是，周宗亮，我愛你。」

「醫務所呢？」

「租給師妹啟業。」

「你喜到熱帶還是溫帶？」

「讓我們查閱地圖。」

當天深夜，在飛機場，周宗亮撥一個電話給史律師，他把下午看到的事，鎮定地與史說一遍。

史一德更加冷靜，像早已預知，歐洲不會放過任何一個與紀家有關係的男子。

他鎮定答：「知道了。」

「一德，我將與米丰環球旅遊，暫時不返本市，你們不必找我，也不用理我，一德，我自青年時起就一直想到南美旅行，智利是我嚮往之國，我想到阿卡他瑪沙漠，又想探訪品脫貢尼亞冰川，神秘的安第斯山脈——」

全書完

亦舒系列

219. 同　門　(長篇)
220. 我確是假裝　(短篇)
221. 這樣的愛拖一天是錯一天　(長篇)
222. 噓——　(長篇)
223. 她的二三事　(長篇)
224. 月是故鄉明　(散文)
225. 早上七八點鐘的太陽　(長篇)
226. 鄰居太太的情人　(長篇)
227. 如果你是安琪　(短篇)
228. 紫色平原　(長篇)
229. 我情願跳舞　(長篇)
230. 只是比較喜歡寫　(散文)
231. 電光幻影　(長篇)
232. 蓉島之春　(長篇)
233. 愛可以下載嗎　(短篇)
234. 雪　肌　(長篇)
235. 特首小姐你早　(長篇)
236. 葡萄成熟的時候　(長篇)
237. 此一時也彼一時也　(散文)
238. 剪刀替針做媒人　(長篇)
239. 乒　乓　(長篇)
240. 恨　煞　(長篇)
241. 攣　生　(長篇)
242. 漫長迂迴的路　(長篇)
243. 忘記他　(短篇)
244. 愛情只是古老傳説　(長篇)
245. 迷　藏　(長篇)
246. 靈　心　(長篇)
247. 大　君　(長篇)
248. 眾裏尋他　(長篇)
249. 吻所有女孩　(長篇)
250. 尚未打烊　(散文)
251. 一個複雜故事　(長篇)
252. 畫　皮　(長篇)
253. 愛情慢慢殺死你　(長篇)
254. 你的素心　(長篇)
255. 地盡頭　(長篇)
256. 有時他們回家　(長篇)
257. 禁　足　(長篇)
258. 謊　容　(長篇)
259. 不二心　(散文)
260. 潔如新　(長篇)
261. 從前有一隻粉蝶　(長篇)
262. 三思樓　(長篇)
263. 四部曲　(長篇)
264. 德芬郡奶油　(長篇)
265. 君還記得我否　(長篇)
266. 少年不愁　(長篇)
267. 塔裏的六月　(長篇)
268. 佩鎗的茱麗葉　(長篇)
269. 世界換你微笑　(長篇)
270. 天堂一樣　(長篇)
271. 那一天，我對你説　(長篇)
272. 蜜糖只有你　(長篇)
273. 先吃甜品　(散文)
274. 掰　(長篇)
275. 我倆不是朋友　(長篇)
276. 外遇　(長篇)